A-Z Street Atlas of WARRINGTON

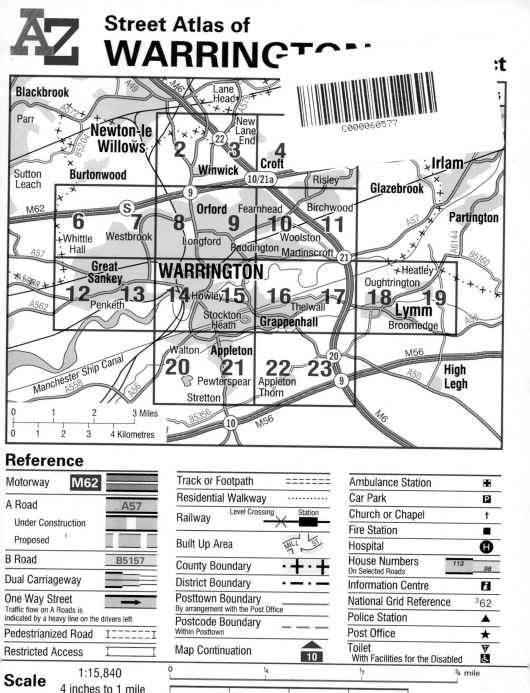

C000060577

Reference

Motorway **M62**	Track or Footpath ======	Ambulance Station ⊞
A Road A57	Residential Walkway ··········	Car Park **P**
Under Construction	Railway — Level Crossing / Station ■	Church or Chapel †
Proposed		Fire Station ■
B Road B5157	Built Up Area MILL ST.	Hospital **H**
Dual Carriageway	County Boundary ·+·+·	House Numbers On Selected Roads 113 98
One Way Street → Traffic flow on A Roads is indicated by a heavy line on the drivers left	District Boundary ·—·—·	Information Centre **i**
	Posttown Boundary By arrangement with the Post Office	National Grid Reference ³62
Pedestrianized Road I⎯⎯I	Postcode Boundary Within Posttown	Police Station ▲
Restricted Access I⎯⎯I	Map Continuation ▲ 10	Post Office ★
		Toilet ▽ With Facilities for the Disabled

Scale

1:15,840
4 inches to 1 mile

0   ¼   ½   ¾ mile

0   250   500   750   1 kilometre

Geographers' A-Z Map Co. Ltd.

Head Office : Fairfield Road, Borough Green, Sevenoaks, Kent TN15 8PP Telephone 01732 781000
Showrooms : 44 Gray's Inn Road, Holborn, London WC1X 8HX Telephone 0171-242-9246

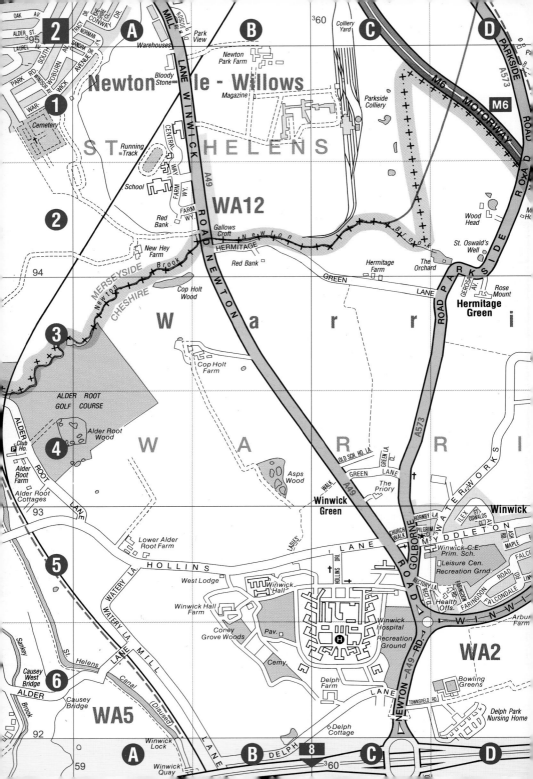

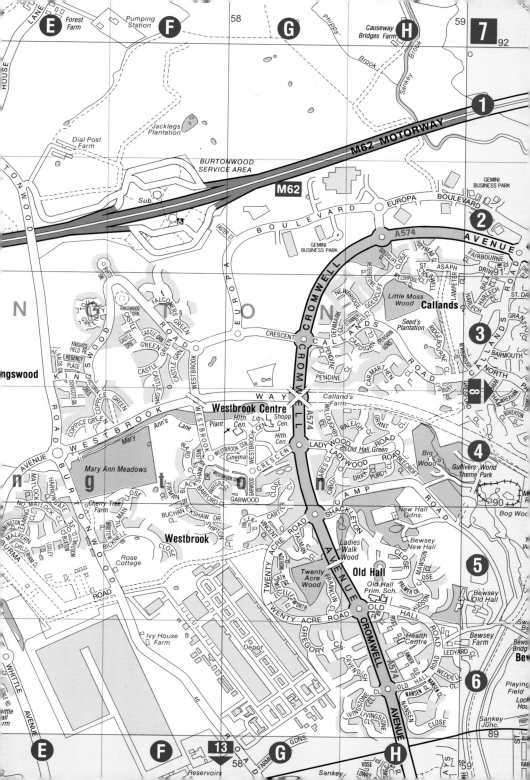

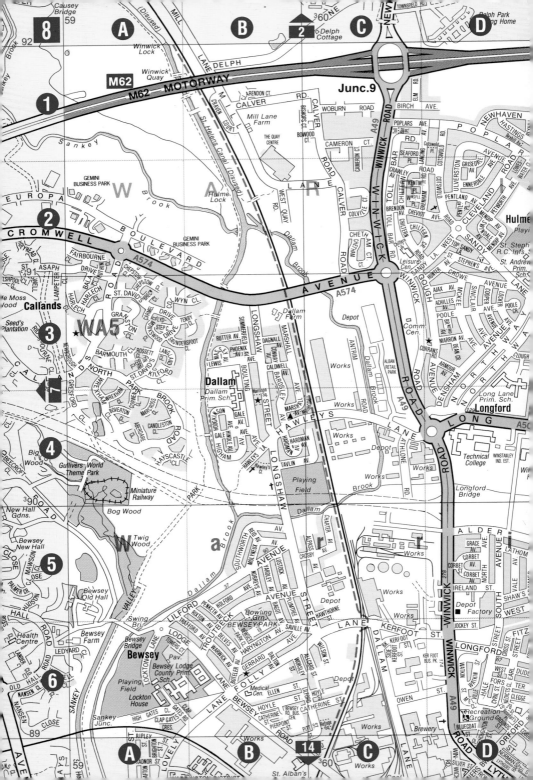

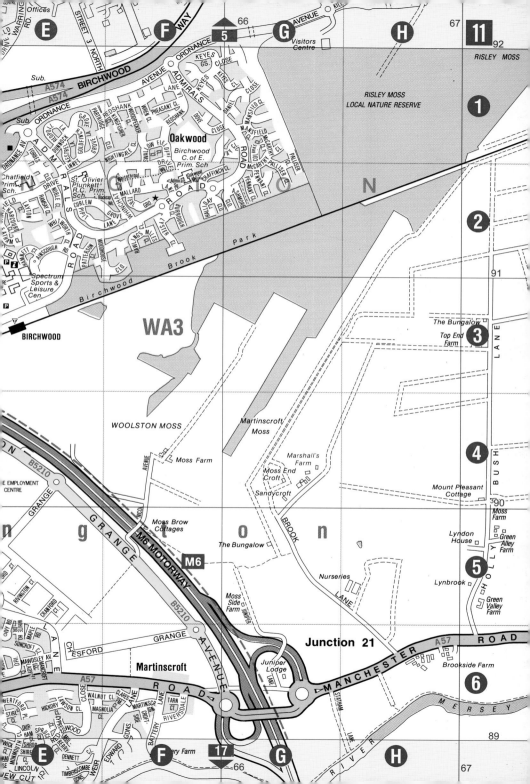

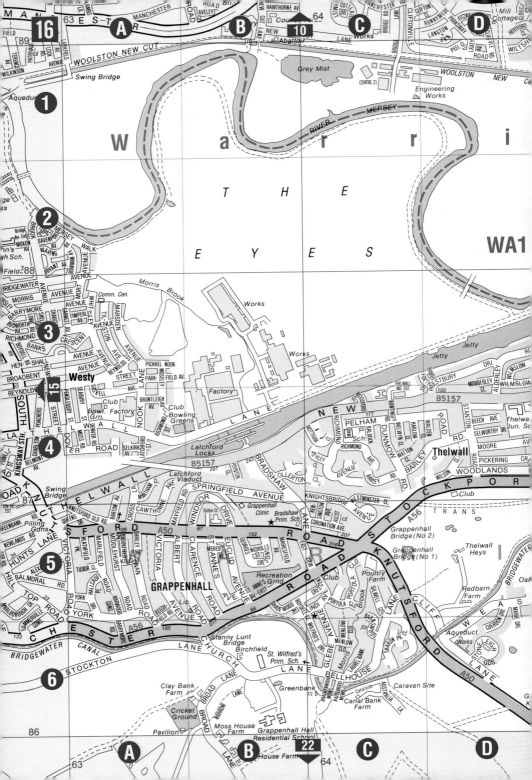

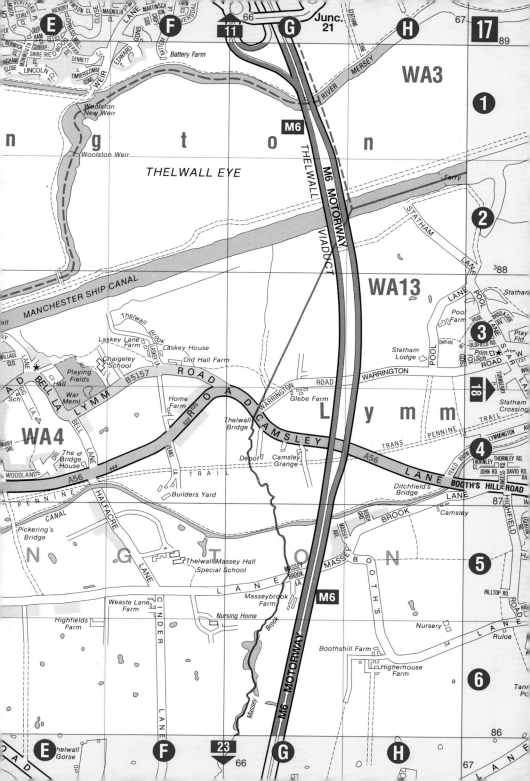

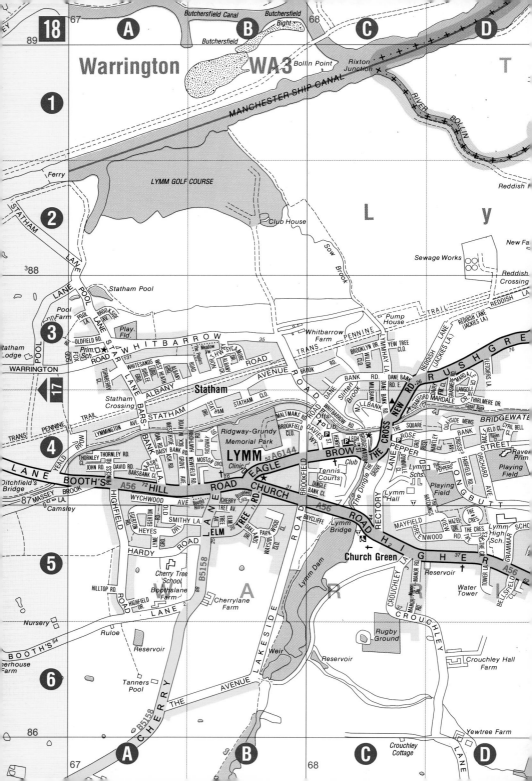

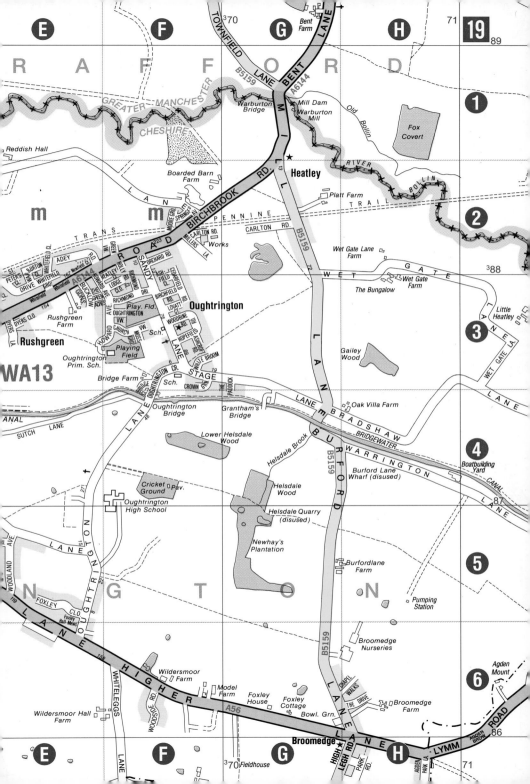

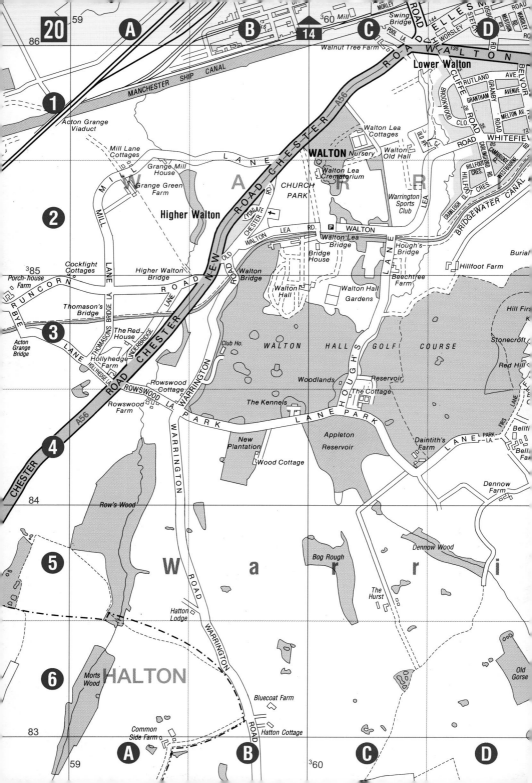

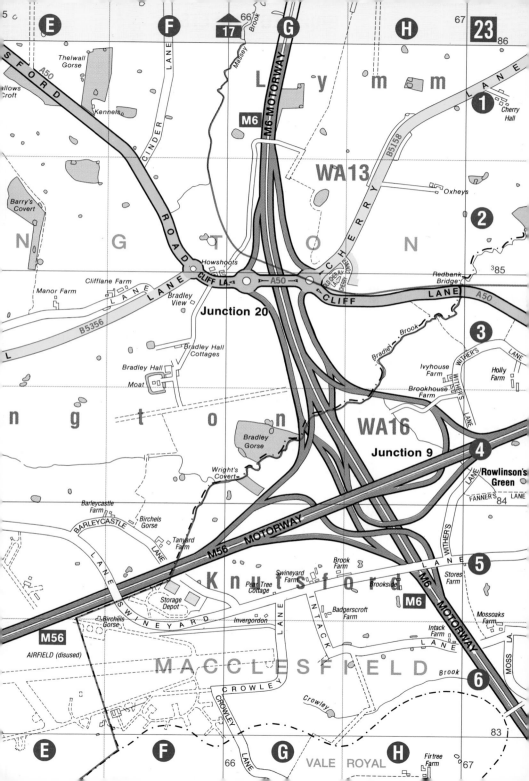

INDEX TO STREETS

HOW TO USE THIS INDEX

1. Each street name is followed by its Postal District and then by its map reference; e.g. Ackers Rd. WA4 —6G **15** is in the Warrington 4 Postal District and is to be found in square 6G on page **15**. The page number being shown in bold type.
A strict alphabetical order is followed with Av., Rd., St., etc. (though abbreviated) are read in full and as part of the street name; e.g. Alderley Rd. appears after Alder La. but before Alder Rd.

2. Streets and a selection of Subsidiary names not shown on the Maps, appear in the index in *Italics* with the thoroughfare to which it is connected shown in brackets; e.g. *Boat Stage. WA13 —4C 18 (off Legh St.)*

3. With the now general usage of Postcodes with addressing mail, it is not recommended that this index is used for such a purpose.

GENERAL ABBREVIATIONS

INDEX TO STREETS

Belgrave Av. WA1 —5H **9**
Bellhouse La. WA4 —6C **16**
Bell La. WA4 —3E **17**
Bellsfield Clo. WA13 —5D **18**
Belmont Av. WA4 —4H **15**
Belmont Cres. WA4 —1D **12**
Belvoir Rd. WA4 —1D **20**
Bennett Av. WA1 —1H **15**
Bennett St. WA1 —2D **14**
Benson Rd. WA3 —2D **10**
Bentham Av. WA2 —2E **9**
Bentham Rd. WA3 —1G **5**
Bent La. WA3 —1G **5**
Bent La. WA13 —1G **19**
Beresford St. WA1 —6G **9**
Berkshire Dri. WA1 —6D **10**
Bernard Av. WA4 —1F **21**
Berwick Clo. WA1 —1E **17**
Betjeman Clo. WA4 —3H **15**
Betsyfield Dri. WA3 —4A **4**
Bevan Clo. WA5 —1H **13**
Beverley Av. WA4 —1F **21**
Beverley Rd. WA5 —1G **13**
Bewsey Pk. Clo. WA5 —6B **8**
Bewsey Rd. WA5 & WA2 —6B **8**
Bewsey St. WA2 & WA1 —1C **14**
Bexhill Av. WA2 —1D **8**
(in two parts)
Bibby Av. WA1 —1G **15**
Bickerton Clo. WA3 —1D **10**
Bickley Clo. WA2 —2H **9**
Bicknell Clo. WA5 —5F **7**
Bideford Rd. WA5 —3C **12**
Biggin Ct. WA2 —4G **9**
Billington Clo. WA5 —5C **6**
Birchall St. WA3 —4A **4**
Birch Av. WA2 —1C **8**
Birchbrook Rd. WA13 —2F **19**
Birchdale Cres. WA4 —1E **21**
Birchdale Rd. WA1 —6A **10**
Birchdale Rd. WA4 —2E **21**
Birchfield Rd. WA4 —2E **21**
Birchfield Rd. WA13 —3F **19**
Birch Gro. WA1 —6H **9**
Birch Gro. WA4 —4F **15**
Birchways. WA4 —4G **21**
Birchwood Boulevd. WA3 —3D **10**
Birchwood Cen. Shopping Cen.
  WA3 —3D **10**
Birchwood Corporation Ind. Est.
  WA2 —3C **10**
Birchwood Pk. Av. WA3 —6D **4**
Birchwood Science Pk. WA3 —6D **4**
Birchwood Way. WA2 & WA3
  —5G **9**
Birdwell Dri. WA5 —2E **13**
Birkdale Rd. WA5 —3D **12**
Birtles Rd. WA2 —4E **9**
Bishop Dale Clo. WA5 —6D **6**
Bishops Ct. WA2 —1B **8**
Bispham Rd. WA5 —3F **13**
Bittern Clo. WA2 —2F **9**
Blackbrook Av. WA1 —1G **9**
Blackbrook Sq. WA2 —3H **9**
Blackburne Clo. WA2 —3B **10**
Blackcap Wlk. WA3 —2E **11**
Blackhurst St. WA1 —2D **14**
Blackledge Clo. WA2 —2A **10**
Blackshaw Dri. WA5 —4F **7**
Blandford Rd. WA5 —2F **13**
Blenheim Clo. WA2 —3G **9**
Bluecoat St. WA2 —6D **8**
Boat Stage. WA13 —4C **18**
(off Legh St.)
Boat Wlk. WA4 —6C **14**
Bold St. WA1 —2C **14**
Bollin Clo. WA3 —1G **5**
Bollin Clo. WA13 —3E **19**
Bollin Dri. WA13 —3E **19**
Bolton Av. WA3 —3H **15**

Bond Clo. WA5 —3H **13**
Booth's Hill Clo. WA13 —5B **18**
Booth's Hill Rd. WA13 —4A **18**
Booth's La. WA13 —5H **17**
Booth St. WA5 —3A **14**
Borrowdale Av. WA2 —2E **9**
Bostock St. WA5 —1A **14**
Boswell Av. WA4 —5D **14**
Boteler Av. WA5 —6B **8**
Boulting Av. WA5 —3B **8**
Boundary St. WA1 —6G **9**
Boverton Clo. WA5 —4A **8**
Bowdon Clo. WA1 —5H **9**
Bowland Clo. WA3 —6H **5**
Bowman Av. WA4 —2A **16**
Bowness Av. WA2 —3E **9**
Bowood Clo. WA2 —1C **8**
Boydell Av. WA4 —5B **14**
  (Grappenhall)
Boydell Av. WA4 —3H **15**
  (Warrington)
Boyle Av. WA2 —4G **9**
Bracken Clo. WA3 —6C **4**
Brackenwood M. WA4 —6C **16**
Brackley St. WA4 —6E **15**
Bradley Boulevd. WA5 —1F **13**
Bradshaw La. WA4 —4F **16**
Bradshaw La. WA13 —4G **19**
Braemar Clo. WA2 —2A **10**
Bramble Clo. WA5 —4C **12**
Bramhall St. WA5 —3A **14**
Bramshill Clo. WA3 —5G **5**
Brandwood Av. WA2 —3D **8**
Brandwood Ho. WA1 —2E **15**
Brantfield Ct. WA2 —3G **9**
Brathay Clo. WA2 —2D **8**
Brecon Ct. WA5 —3A **8**
Brendon Av. WA2 —2C **8**
Brentnall Clo. WA5 —2G **13**
Brian Av. WA2 —5F **9**
Brian Av. WA4 —6G **15**
Briarwood Av. WA1 —6G **9**
Brickhurst Way. WA1 —5B **10**
Brick St. WA1 —2E **15**
Bridge Av. WA4 —3H **15**
Bridge Av. E. WA4 —2H **15**
Bridge Clo. WA13 —4F **19**
Bridge Foot. WA1 —3D **14**
Bridge La. WA1 —1C **16**
Bridge La. WA4 —2G **21**
Bridgeman St. WA5 —3H **13**
Bridge Rd. WA1 —6C **10**
Bridge St. WA1 —2D **14**
Bridgewater Av. WA4 —3H **15**
Bridgewater M. WA4 —1E **21**
Bridgewater St. WA13 —4C **18**
Bridlemere Ct. WA1 —5G **9**
Briers Clo. WA2 —2H **9**
Brighton St. WA5 —1A **14**
Brimelow Cres. WA5 —4C **12**
Brindley Av. WA4 —3H **15**
Bristow Clo. WA5 —5F **7**
Broadbent Av. WA4 —3H **15**
Broadhurst Av. WA4 —1F **5**
Broadhurst Av. WA5 —3H **13**
Broad La. WA4 —6B **16**
Broad Oak Av. WA5 —3C **12**
Brock Rd. WA3 —2D **10**
Brockton Ct. WA4 —3E **21**
Bromley Clo. WA2 —2H **9**
Brook Av. WA4 —6G **15**
  (Stockton Heath)
Brook Av. WA4 —2H **15**
  (Warrington)
Brook Dri. WA5 —2E **13**
Brookfield Clo. WA13 —4B **18**
Brookfield Cotts. WA13 —4B **18**
Brookfield Pk. WA4 —5A **16**
Brookfield Rd. WA13 —4B **18**
Brookland St. WA1 —6G **9**

Brook La. WA3 —5G **11**
Brooklyn Dri. WA13 —3C **18**
Brook Pl. WA4 —4G **15**
Brook Rd. WA13 —3B **18**
Brookside Av. WA4 —6F **15**
Brookside Av. WA5 —3E **13**
Brookside Av. WA13 —3A **18**
Brook Way. WA5 —2E **13**
Brookwood Clo. WA4 —1D **20**
Broom Av. WA4 —3G **21**
Broomfields. WA4 —2G **15**
Broomfields Rd. WA4 —2F **21**
Browmere Dri. WA3 —4A **4**
Brownhill Dri. WA1 —5H **9**
Brown St. WA1 —2C **14**
Bruce Av. WA2 —4F **9**
Bruche Av. WA1 —6H **9**
Bruche Dri. WA1 —5H **9**
Bruche Heath Gdns. WA1 —5A **10**
Bruntleigh Av. WA4 —4A **16**
Bryant Av. WA4 —2H **15**
Buchan Clo. WA5 —3H **7**
Buckfast Clo. WA5 —4C **12**
Buckingham Dri. WA5 —3G **13**
Buckley St. WA2 —1C **14**
Bucklow Gdns. WA13 —3E **19**
Buckton St. WA1 —6F **9**
Budworth Av. WA4 —3H **15**
Buntingford Rd. WA4 —4C **16**
Burfield Dri. WA4 —3E **21**
Burford La. WA13 —4G **19**
Burford Rd. WA13 —4G **19**
Burgess Av. WA4 —4D **14**
Burley La. WA4 —5C **22**
Burma Rd. WA5 —5E **7**
Burnet Clo. WA2 —3C **10**
Burnham Clo. WA5 —2D **12**
Burns Gro. WA2 —3E **9**
Burnside Av. WA4 —6F **15**
Burrough Clo. WA3 —2F **11**
Burton Rd. WA2 —4F **9**
Burtonwood Rd. WA5 —1D **6**
Buttermarket St. WA1 —2D **14**
Buttermere Av. WA2 —2E **9**
Buttermere Cres. WA2 —2E **9**
Butts Grn. WA2 —2E **7**
Buxton Clo. WA5 —5E **7**
Bye La. WA4 —3A **20**
Byron Ct. WA2 —3E **9**

Cabot Clo. WA5 —4G **7**
Cabul Clo. WA2 —6E **9**
Cadshaw Clo. WA3 —6D **4**
Cairo St. WA1 —2D **14**
Caldbeck Av. WA2 —3F **9**
Calderfield Clo. WA4 —1D **20**
Caldwell Av. WA5 —3B **8**
Callands Rd. WA5 —3G **7**
Calstock Clo. WA5 —4C **12**
Calver Rd. WA2 —1B **8**
Cambrai Av. WA4 —5E **15**
Cambridge Clo. WA4 —1D **20**
Cambridge Gdns. WA4 —3E **21**
Cameron Ct. WA2 —1C **8**
Campbell Cres. WA5 —1D **12**
Campion Clo. WA3 —1C **10**
Camp Rd. WA5 —4H **7**
Camsley La. WA13 —4G **17**
Canada Clo. WA2 —3A **10**
Canal Bank. WA4 —4F **15**
Canal Bank. WA4 —4D **18**
Canalside. WA4 —6C **16**
Canberra Av. WA2 —2F **9**
Canberra Sq. WA2 —3F **9**
Candleston Clo. WA5 —4A **8**
Canford Clo. WA5 —1G **13**
Cannell St. WA5 —3H **13**
Cann La. WA4 —5G **21**
Canons Rd. WA5 —1H **13**

Canterbury St. WA4 —3E **15**
Capenhurst Av. WA2 —3A **10**
Capesthorne Rd. WA2 —4F **9**
Carden Clo. WA3 —1D **10**
Cardigan Clo. WA5 —3H **7**
Carlingford Rd. WA4 —1D **20**
Carlisle St. WA4 —1H **15**
Carlton Rd. WA13 —2F **19**
  (in two parts)
Carlton Av. WA1 —1E **21**
Carmarthen Clo. WA5 —3H **7**
Carmel Clo. WA5 —3A **8**
Carol St. WA4 —3F **15**
Carpenter Gro. WA2 —4A **10**
Carrington Clo. WA5 —1C **10**
Cartier Clo. WA5 —5G **7**
Cartmel Av. WA2 —3F **9**
Cartridge La. WA4 —3D **22**
Cartwright St. WA5 —1A **14**
Castle Grn. WA5 —3F **7**
Catfoss Clo. WA2 —4G **9**
Catherine St. WA5 —6B **8**
  (in two parts)
Catterall Av. WA2 —3F **9**
Causeway Av. WA4 —4E **15**
Cavendish Clo. WA5 —6H **7**
Caversham Clo. WA4 —2F **21**
Cawdor St. WA4 —1E **21**
Cawthorne Av. WA4 —5A **16**
Cedar Ct. WA3 —1F **5**
Cedarfield. WA13 —3F **19**
Cedarfield Rd. WA13 —3F **19**
Cedar Gro. WA1 —6A **10**
Cedar Gro. WA4 —4F **15**
Cedar Rd. WA5 —1D **12**
Cedarways. WA4 —4F **21**
Central Av. WA2 —5E **9**
Central Av. WA4 —4D **14**
Central Rd. WA4 —4D **14**
Central Way. WA12 —1A **2**
Centre 21. WA1 —1C **16**
Centre Pk. Ind. Est. WA1 —4C **14**
Centre Pk. Sq. WA1 —3C **14**
Centurion Clo. WA3 —6D **4**
Chadwick Av. WA3 —4B **4**
Chadwick Av. WA4 —6G **15**
Chaffinch Clo. WA3 —2F **11**
Chalfont Clo. WA4 —3G **21**
Chantler Av. WA4 —3G **15**
Chapelcross Rd. WA2 —3A **10**
Chapel La. WA4 —5B **22**
  (Appleton)
Chapel La. WA4 —1E **21**
  (Stockton Heath)
Chapel Rd. WA5 —4C **12**
Chapel Wlk. WA13 —6H **19**
Chapel Walks. WA13 —6H **19**
Charles Av. WA5 —1D **12**
Charlton St. WA4 —4H **15**
Charminster Clo. WA5 —2F **13**
Charnwood Clo. WA3 —6H **5**
Charter Av. WA5 —5C **8**
Chartwell Gdns. WA4 —4H **21**
Chatfield Dri. WA3 —2E **11**
Chaucer Pl. WA4 —3H **15**
Chelford Clo. WA4 —1E **21**
Cheltenham Clo. WA5 —5E **7**
Chepstow Clo. WA5 —2A **8**
Cherry Corner. WA13 —3G **23**
Cherry La. WA13 —2G **23**
Cherry Tree Av. WA5 —3D **12**
Cherry Tree Av. WA13 —5B **18**
Cherwell Clo. WA2 —3F **9**
Chesford Grange. WA1 —6E **11**
Cheshire Clo. WA12 —1A **2**
Cheshires La. WA1 —2D **14**
Chessington Clo. WA4 —3H **21**
Chester New Rd. WA4 —3A **20**
Chester Rd. WA4 —4A **20**
  (Higher Walton)

Chester Rd. WA4 —6G **15**
(Stockton Heath)
Chester Rd. WA4 —5C **14**
(Warrington)
Chestnut Av. WA5 —1D **12**
Chestnut Ho. WA4 —2G **21**
Chetham St. WA1 —6G **9**
Cheviot Av. WA2 —2C **8**
Chiltern Cres. WA2 —2C **8**
Chiltern Pl. WA2 —2C **8**
Chiltern Rd. WA2 —2C **8**
China La. WA4 —5E **15**
Chippindall Clo. WA5 —2G **13**
Chiswick Gdns. WA4 —3H **21**
Chorley St. WA2 —1D **14**
(in two parts)
Church Av. WA2 —4A **10**
Churchfields. WA3 —4B **4**
Church La. WA3 —1F **5**
Church La. WA4 —6B **16**
Church La. WA13 —4B **18**
Church St. WA1 —2E **15**
Church St. Ind. Est. WA1 —2E **15**
Church View. WA13 —3F **19**
Church Wlk. WA2 —5C **2**
Cinder La. WA4 —1F **23**
Cinnamon La. WA2 —2H **9**
Cinnamon La. N. WA2 —1H **9**
Clap Gates Cres. WA5 —6A **8**
Clap Gates Rd. WA5 —6A **8**
Clarence Av. WA5 —1B **12**
Clarence Rd. WA4 —5B **16**
Clarence St. WA1 —6G **9**
Clarendon Ct. WA2 —1B **8**
Clares Farm Clo. WA4 —6F **11**
Clarke Av. WA4 —5F **15**
(in two parts)
Claude St. WA1 —1E **15**
Clay La. WA5 —1C **6**
Clayton Rd. WA3 —5F **5**
Clegge St. WA2 —6D **8**
Clelland St. WA4 —4E **15**
Cleveland Rd. WA2 —2D **8**
Cleveleys Rd. WA5 —3F **13**
Cliffe St. WA1 —2B **14**
Cliff La. WA4 —5C **16**
(in two parts)
Clifford Rd. WA5 —3E **13**
Cliff Rd. WA4 —2E **21**
Clifton Clo. WA1 —6D **10**
Clifton St. WA4 —3E **15**
Cliftonville Rd. WA1 —6C **10**
Clive Av. WA2 —4E **9**
Clough Av. WA2 —3D **8**
Clovelly Av. WA5 —6C **6**
Clydesdale Rd. WA4 —1F **21**
Cobbs La. WA4 —1G **21**
Cobden St. WA2 —1D **14**
Cockhedge Cen. WA1 —2D **14**
Cockhedge La. WA1 —2E **15**
Cockhedge Way. WA1 —2D **14**
Coldstream Clo. WA2 —1G **9**
Colebrooke Clo. WA3 —1G **11**
College Clo. WA1 —2F **15**
College La. WA2 —3B **10**
College Pl. WA2 —3B **10**
Collin St. WA5 —2A **14**
Colville Ct. WA2 —2C **8**
Colwyn Clo. WA5 —3A **8**
Common La. WA3 —1F **5**
Common La. WA4 —5G **15**
Conifer Gro. WA5 —6D **6**
Coniston Av. WA5 —3B **12**
Connaught Av. WA1 —6G **9**
Conway Av. WA5 —3B **8**
Conway Clo. WA5 —1D **12**
Conway Dri. WA12 —1A **2**
Coogee Av. WA5 —6C **6**
Cooper Av. WA2 —3D **8**
Copeland Rd. WA4 —5D **14**

Copperfield Clo. WA3 —6C **4**
Coppice Grn. WA5 —4E **7**
Coppins, The. WA2 —3E **9**
Corbet Av. WA2 —5D **8**
Corbet St. WA2 —5D **8**
Cornwall St. WA1 —6G **9**
Coronation Av. WA4 —5C **16**
Coronation Dri. WA5 —3D **12**
Corwen Clo. WA5 —4A **8**
Cossack Av. WA2 —4E **9**
Cotswold Pl. WA2 —1D **8**
Cotswold Rd. WA2 —2D **8**
Cotterdale Clo. WA5 —6D **6**
Cotterill Dri. WA1 —6C **10**
Cottham Dri. WA2 —2A **10**
Coverdale Clo. WA5 —6D **6**
Cowdell St. WA2 —6D **8**
Crab La. WA2 —2A **10**
Cranborne Av. WA4 —6C **14**
Cranford Ct. WA1 —5E **11**
Cranleigh Clo. WA4 —2D **20**
Craven Ct. WA2 —1B **8**
Crawley Av. WA2 —2C **8**
Crescent, The. WA13 —5D **18**
Cressbrook Rd. WA4 —1E **21**
Creswell Clo. WA5 —2H **7**
Croft Heath Gdns. WA3 —3A **4**
Croft Ho. WA3 —4A **4**
Crofton Clo. WA4 —4C **22**
Crofton Gdns. WA3 —1E **5**
Croftside. WA4 —6F **11**
Cromdale Way. WA5 —1C **12**
Cromwell Av. WA5 & WA2 —3G **7**
Cromwell Av. S. WA5 —3G **13**
Cromwell Ct. WA1 —2C **14**
(off Arpley St.)
Cronulla Dri. WA5 —6B **6**
Croppers Rd. WA2 —2H **9**
Crosby Av. WA5 —5B **8**
Crossfield Av. WA3 —1F **5**
Crossfield Av. WA13 —4D **18**
Crossfield St. WA1 —2C **14**
Cross La. WA3 —4C **4**
Cross La. WA4 —5A **16**
Cross La. S. WA3 —5E **5**
Crossley St. WA1 —1E **15**
Cross St. WA2 —6D **8**
Cross, The. WA13 —4C **18**
Crouchley La. WA13 —5C **18**
Crowe Av. WA2 —3D **8**
Crowley La. WA16 —6G **23**
Crown Grn. WA13 —4F **19**
Crown St. WA1 —2D **14**
Cuerdley Rd. WA5 —4A **12**
Cuerdon Dri. WA4 —6D **16**
Culbin Clo. WA3 —5G **5**
Cumberland St. WA4 —4E **15**
Cunningham Clo. WA5 —2D **12**
Curlew Gro. WA3 —2E **11**
Currans Rd. WA2 —3D **8**
Cynthia Av. WA1 —6B **10**
Cypress Clo. WA1 —6E **11**
Cyril Bell Clo. WA13 —4D **18**
Cyril St. WA2 —6D **8**

Dagnall Av. WA5 —3B **8**
Dairy Farm Clo. WA13 —4D **18**
Daisybank Rd. WA5 —3D **12**
Daisy Bank Rd. WA13 —4A **18**
Dalby Clo. WA3 —6H **5**
Dale Clo. WA5 —3A **14**
Dale La. WA4 —2G **21**
Dale, The. WA5 —2D **12**
Dallam La. WA2 —1D **14**
Dalton Av. WA5 —6B **8**
Dalton Bank. WA1 —1E **15**
Dam La. WA1 —6D **10**
Dam La. WA3 —4H **3**
Dane Bank Rd. WA13 —4C **18**

Dane Bank Rd. E. WA13 —3C **18**
Daniel Clo. WA3 —1G **11**
Darley Av. WA2 —2G **9**
Darnaway Clo. WA3 —5H **5**
Darwin Gdns. WA2 —4G **9**
Daten Av. WA3 —5E **5**
Davenham Av. WA1 —5G **9**
Davenport Av. WA4 —2H **15**
David Rd. WA13 —4A **18**
David's Av. WA5 —2F **13**
Davies Av. WA4 —3H **15**
Davies Way. WA13 —4C **18**
Deacons Clo. WA3 —3A **4**
Dean Cres. WA2 —3D **8**
Deans La. WA4 —4F **17**
Deanwater Clo. WA3 —1D **10**
Deepdale Clo. WA5 —6D **6**
Delafield Clo. WA2 —2H **9**
Delamere St. WA2 —2A **14**
Delenty Dri. WA3 —1D **10**
Delery Dri. WA1 —5G **9**
Dell Dri. WA2 —3A **10**
Delphfields Rd. WA4 —2E **21**
Delph La. WA2 —4F **3**
(Houghton Green)
Delph La. WA2 —1B **8**
(Winwick)
Delves Av. WA5 —6B **8**
Denbury Av. WA4 —5H **15**
Denehurst Clo. WA5 —3D **12**
Denham Av. WA5 —2F **13**
Denise Av. WA5 —2C **12**
Denmark Clo. WA5 —3G **7**
Dennett Clo. WA1 —1E **17**
Densham Av. WA2 —4D **8**
Denver Rd. WA4 —4A **16**
Derby Dri. WA1 —6H **9**
Derby Rd. WA1 —1E **21**
Derek Av. WA2 —4F **9**
Derwent Clo. WA3 —1G **5**
Derwent Rd. WA4 —5D **14**
Devonshire Rd. WA1 —5H **9**
Dewhurst Rd. WA3 —2D **10**
Dial St. WA1 —2D **14**
Dickenson St. WA2 —6E **9**
Dig La. WA2 —1B **10**
Dingle Bank Clo. WA13 —4C **18**
Dingle La. WA4 —3H **21**
Dingleway. WA4 —1F **21**
Ditchfield Rd. WA5 —4C **12**
Dixon St. WA1 —2C **14**
Dolmans La. WA1 —2D **14**
Domville Clo. WA13 —4C **18**
Dood's La. WA4 —4A **12**
Dorchester Rd. WA5 —2F **13**
Dorney Clo. WA4 —3G **21**
Dorothea St. WA2 —6E **9**
Dorset Way. WA1 —5B **10**
Dounrey Clo. WA2 —3A **10**
Dove Clo. WA3 —1F **11**
Dovecote Grn. WA5 —3E **7**
Dovedale Clo. WA2 —2G **9**
Dover Rd. WA4 —4A **16**
Downham Av. WA3 —1F **5**
Drake Clo. WA5 —4H **7**
Drive, The. WA13 —6H **19**
Druridge Dri. WA5 —3D **12**
Dryden Pl. WA2 —3E **9**
Duckworth Gro. WA2 —4A **10**
Dudley St. WA2 —6D **8**
Dudlow Grn. Rd. WA4 —4F **21**
Duncansby Cres. WA5 —1C **12**
Duncan St. WA2 —6E **9**
Dundee Clo. WA2 —1G **9**
Dundonald Av. WA4 —6E **15**
Dunley Clo. WA3 —5G **5**
Dunlin Clo. WA2 —3A **10**
Dunlop St. WA4 —4D **14**
Dunmow Rd. WA4 —4C **16**
Dunnock Clo. WA2 —2G **9**

Dunnock Gro. WA3 —1E **11**
Dunscar Clo. WA3 —6D **4**
Durham Clo. WA4 —6E **11**
Duxford Ct. WA2 —4G **9**
Dyers Clo. WA13 —3E **19**
Dyers La. WA13 —3E **19**

Eagle Brow. WA13 —4B **18**
Eaglemount. WA4 —5E **15**
Ealing Rd. WA5 —2E **13**
Earl St. WA2 —6D **8**
East Av. WA2 —5E **9**
East Av. WA4 —6F **15**
East Av. WA5 —3E **13**
Eastdale Rd. WA1 —6A **10**
Easter Ct. WA5 —2F **7**
Eastford Rd. WA4 —6B **14**
East View. WA4 —5B **16**
Eaves Brow Rd. WA3 —4B **4**
Ebenezer Pl. WA1 —2C **14**
Eccleston Clo. WA3 —6C **4**
Edelsten Av. WA5 —2B **14**
Edgars Dri. WA2 —4A **10**
Edgeworth St. WA2 —2C **14**
Edward Gdns. WA1 —1F **17**
Edward Rd. WA5 —1B **12**
Egerton Av. WA1 —6G **9**
(in two parts)
Egerton Rd. WA13 —5A **18**
Egerton St. WA1 —2F **15**
Egerton St. WA4 —6E **15**
Egypt St. WA1 —2D **14**
Eisenhower Clo. WA5 —1F **13**
Elaine St. WA1 —6F **9**
Eldon St. WA2 —2E **15**
Elgin Av. WA4 —5C **14**
Elizabeth Dri. WA1 —5A **10**
Ellen St. WA5 —6B **8**
Ellesmere Rd. WA4 —6D **14**
Ellesmere St. WA1 —2E **15**
Ellesworth Clo. WA5 —5G **7**
Elliott Av. WA1 —6G **9**
Ellison St. WA1 —2E **15**
Ellison St. WA4 —6F **15**
Elm Gro. WA1 —6H **9**
Elm Rd. WA2 —1C **8**
Elm Rd. WA5 —3D **12**
Elmtree Av. WA1 —5H **9**
Elm Tree Av. WA13 —5B **18**
Elm Tree Rd. WA13 —5B **18**
Elmwood Av. WA1 —6G **9**
Elton Clo. WA3 —1C **10**
Enfield Pk. Rd. WA2 —2H **9**
Ennerdale Av. WA2 —2D **8**
Enville St. WA4 —3E **15**
Epping Dri. WA1 —5D **10**
Epsom Gdns. WA4 —2G **21**
Eric Av. WA1 —5G **9**
Erwood St. WA2 —1D **14**
Eskdale Av. WA2 —2E **9**
Euclid Av. WA4 —5B **16**
Europa Boulevd. WA5 —3G **7**
Eustace St. WA2 —1C **14**
Evans Pl. WA4 —4F **15**
Evelyn St. WA5 —3H **13**
Eversley Clo. WA4 —4H **21**
Evesham Clo. WA4 —1E **21**

Factory La. WA5 —2B **14**
Fairbourne Clo. WA5 —2A **8**
Fairbrother Cres. WA2 —3F **9**
Fairclough's Av. WA1 —3E **15**
Fairfield Gdns. WA4 —5G **15**
Fairfield Rd. WA4 —6E **15**
Fairfield Rd. WA13 —4D **18**
Fairfield St. WA1 —1E **15**
Fairhaven Clo. WA5 —3F **13**
Fairways. WA4 —4F **21**

Falcondale Rd. WA2 —5D **2**
Falconers Grn. WA5 —3F **7**
Fallowfield Gro. WA4 —4B **10**
Falmouth Dri. WA5 —4C **12**
Falstone Clo. WA3 —5H **5**
Fanner's La. WA16 —4H **23**
(in two parts)
Farel St. WA1 —2E **15**
Farm La. WA4 —1G **21**
Farmleigh Gdns. WA5 —1G **13**
Farm Way. WA12 —2A **2**
Farnham Clo. WA4 —2G **21**
Farnworth Rd. WA5 —3A **12**
Farrell Rd. WA4 —1E **21**
Farringdon Rd. WA2 —5D **2**
Fearnhead Cross. WA2 —3H **9**
Fearnhead La. WA2 —3A **10**
Fenham Dri. WA5 —3C **12**
Fennel St. WA1 —2E **15**
Ferguson Dri. WA2 —4F **9**
Fernbank Clo. WA3 —1D **10**
Fern Clo. WA3 —1D **10**
Ferndale Clo. WA1 —6C **10**
Ferry La. WA4 —3E **17**
Festival Av. WA2 —3F **9**
Festival Cres. WA2 —3F **9**
Fieldfare Clo. WA1 —1F **11**
Field La. WA4 —3E **21**
Fields Clo. WA5 —2G **13**
Fieldview Dri. WA2 —4E **9**
Fife Rd. WA1 —6G **9**
Finlay Av. WA5 —4C **12**
Finningley Ct. WA2 —4G **9**
Fir Gro. WA1 —6H **9**
Firman Clo. WA5 —4F **7**
Firs La. WA4 —4D **20**
(in two parts)
Firtree Av. WA1 —5A **10**
Fisher Av. WA2 —4D **8**
Fisherfield Dri. WA3 —6G **5**
Fitzherbert St. WA2 —6D **8**
Fitzwalter Rd. WA1 —6D **10**
Flaxley Clo. WA3 —6G **5**
Fleetwood Clo. WA5 —3F **13**
Fleming Ind. Est. WA1 —2E **15**
(off Fennel St.)
Flers Av. WA4 —4E **15**
Fletchers La. WA13 —3D **18**
Fletcher St. WA4 —4D **14**
Florence St. WA4 —4F **15**
Folly La. WA5 —6B **8**
Forbes Clo. WA3 —1E **11**
Fordington Rd. WA5 —2F **13**
Ford St. WA1 —1F **15**
Foreland Clo. WA5 —6A **6**
Forge Rd. WA4 —3D **20**
Forge Shopping Cen., The. WA4
—6E **15**
Formby Clo. WA5 —3D **12**
Forrest Way. WA5 —4H **13**
Forshaw St. WA2 —6B **8**
Forster St. WA2 —6D **8**
Fothergill St. WA1 —6F **9**
Foundry St. WA2 —1D **14**
Foxdale Ct. WA4 —2F **21**
Foxfield Clo. WA2 —2G **9**
Fox Gdns. WA13 —3A **18**
Foxley Clo. WA4 —6F **21**
Foxley Clo. WA13 —5E **19**
Foxley Hall M. WA13 —6E **19**
Fox St. WA5 —2A **14**
Francis Rd. WA4 —6D **14**
Franklin Clo. WA5 —5G **7**
Fraser Rd. WA5 —1B **12**
Freckleton Clo. WA5 —3F **13**
Frederick St. WA4 —4F **15**
Freshfields Dri. WA2 —4B **10**
Freshwater Clo. WA5 —6B **6**
Friars Av. WA5 —2C **12**
Friars Ga. WA1 —3D **14**

Friars La. WA1 —3D **14**
Friends La. WA5 —1B **12**
Frobisher Ct. WA5 —5H **7**
Froghall La. WA1 & WA2 —2B **14**

Gables Clo. WA2 —2H **9**
Gainsborough Rd. WA4 —5C **14**
Gairloch Clo. WA2 —1H **9**
Gale Av. WA5 —4B **8**
Garibaldi St. WA5 —2B **14**
Garner St. WA2 —6E **9**
Garnett Av. WA4 —3A **16**
Garrett Field. WA3 —6D **4**
Garsdale Clo. WA5 —6E **7**
Gawsworth Ct. WA4 —5F **5**
Gayhurst Av. WA2 —3H **9**
Gemini Bus. Pk. WA5 —2G **7**
General St. WA1 —2E **15**
Genesis Cen., The. WA3 —6E **5**
George Rd. WA5 —3G **13**
Georges Cres. WA4 —5B **16**
Gerosa Av. WA2 —3D **2**
Gerrard Av. WA5 —6B **8**
Gerrard Rd. WA3 —4A **4**
Gibson St. WA1 —2E **15**
Gibson St. WA4 —6F **15**
Gig La. WA1 —5D **10**
Gig La. WA4 —4E **17**
Gilderdale Clo. WA3 —6H **5**
Gilwell Clo. WA4 —5C **16**
Gladstone St. WA2 —1C **14**
Glastonbury M. WA4 —5G **15**
Glazebrook St. WA1 —1F **15**
Glaziers La. WA3 —1D **4**
Glebe Av. WA4 —6C **16**
Glebeland. WA3 —1E **5**
Gloucester Clo. WA1 —6D **10**
Glover Rd. WA3 —1C **10**
Godfrey St. WA2 —6F **9**
Goldborne St. WA1 —2C **14**
Goldcliff Clo. WA5 —3H **7**
Golden Sq. Shopping Cen. WA1
—2D **14**
Goldfinch La. WA3 —1E **11**
Gordale Clo. WA5 —6D **6**
Gordon Av. WA1 —6B **10**
Gorse Covert Rd. WA3 —6G **5**
Gorsey La. WA2 & WA1 —5F **9**
Gosling Rd. WA3 —4B **4**
Gosport Clo. WA2 —4G **9**
Gough Av. WA2 —3C **8**
Goulden St. WA5 —1A **14**
Grace Av. WA2 —5D **8**
Grafton St. WA5 —1A **14**
Grammar School Rd. WA4
—4H **15**
Grammar School Rd. WA13
—5D **18**
Grammar School La. WA13
—5D **18**
Granby Rd. WA4 —1D **20**
Grange Av. WA4 —3G **15**
Grange Dri. WA5 —3E **13**
Grange Employment Area. WA1
—4E **11**
Granston Clo. WA5 —3A **8**
Grant Clo. WA5 —4H **7**
Grantham Av. WA1 —6G **9**
Grantham Av. WA4 —1D **20**
Grant Rd. WA5 —1F **13**
Granville St. WA1 —1F **15**
Grappenhall La. WA4 —5B **22**
Grappenhall Rd. WA5 —6F **15**

Grasmere Av. WA2 —2F **9**
Grasmere Rd. WA13 —4D **18**
Greeba Av. WA4 —4D **14**
Greenacres, The. WA13 —3E **19**
Greenall Av. WA5 —3B **12**
Greenalls Av. WA4 —6D **14**
Greenbank Gdns. WA4 —5H **15**
Greenbank Rd. WA4 —5H **15**
Greenbank St. WA4 —5E **15**
Greenfields Av. WA4 —1F **21**
Greenfields Clo. WA1 —6C **10**
Green La. WA1 —5A **10**
Green La. WA2 —4C **2**
Green La. WA4 —4H **21**
Green La. Clo. WA2 —4C **2**
Green St. WA5 —2A **14**
(in two parts)
Green View. WA13 —2F **19**
Greenway. WA1 —6H **9**
Greenway. WA4 —2F **21**
Greenway. WA5 —6C **6**
Greenwood Clo. WA3 —1F **5**
Greenwood Cres. WA2 —3F **9**
Greenwood Rd. WA13 —5C **18**
Gregory Clo. WA5 —6G **7**
Gresford Clo. WA5 —3A **8**
Greymist Av. WA1 —6C **10**
Greys Ct. WA1 —4C **10**
Greystone Rd. WA5 —3D **12**
Grey St. WA1 —1E **15**
Grice St. WA4 —6E **15**
Griffiths St. WA4 —3H **15**
Grisedale Av. WA2 —2D **8**
Groarke Dri. WA5 —2B **12**
Grosvenor Av. WA1 —6H **9**
Grosvenor Clo. WA5 —2G **13**
Grosvenor Grange. WA1 —4B **10**
Grounds St. WA2 —6D **8**
Grove Av. WA13 —4A **18**
Grove Rise. WA13 —4C **18**
Grove St. WA4 —4E **15**
Grove, The. WA5 —3D **12**
Grove, The. WA13 —4C **18**
Guardian St. WA5 —1B **14**
Guardian St. Ind. Est. WA5
—1B **14**
Guernsey Clo. WA4 —1F **21**
Guildford Clo. WA2 —4A **10**

Haig Av. WA5 —3E **13**
Hale Gro. WA5 —1E **13**
Hale St. WA2 —6D **8**
Halfacre Av. WA4 —4E **17**
Halifax Clo. WA2 —3F **9**
Halla Way. WA4 —4G **15**
Hallcroft Av. WA4 —5A **16**
Hall Dri. WA4 —3F **21**
Hallfields Rd. WA2 —5F **9**
Halliday Clo. WA3 —2F **11**
Hall La. WA4 —1B **22**
Hall Nook. WA5 —3D **12**
Hallows Av. WA2 —4F **9**
Hall Rd. WA1 —6C **10**
Hall St. WA1 —2E **15**
Hall Ter. WA5 —6C **6**
Halsall Av. WA2 —5F **9**
Halton Rd. WA5 —1D **12**
Hamble ·Dri. WA5 —4D **12**
Hammett Clo. WA3 —2E **11**
Hampson Av. WA3 —1F **5**
Hampton Dri. WA5 —3G **13**
Hamsterley Clo. WA3 —5H **5**
Handforth Clo. WA4 —3C **16**
Hanover St. WA1 —3C **14**
Hapsford Clo. WA3 —1C **10**
Harbord St. WA1 —3E **15**
Harcourt Clo. WA3 —2E **11**
Harding Av. WA2 —4G **9**
Hardman Av. WA5 —4B **8**

Hardwick Grange. WA1 —5D **10**
Hardy Rd. WA13 —5A **18**
Hardy St. WA2 —1D **14**
(in two parts)
Harlech Clo. WA5 —3A **8**
Harlow Clo. WA4 —4C **16**
Harpers Rd. WA4 —4A **10**
Harrison Sq. WA5 —4B **8**
Harrow Clo. WA4 —3G **21**
Harrowgate Clo. WA5 —4E **7**
Hartley Clo. WA13 —4D **18**
Hartswood Clo. WA4 —6G **21**
Harwood Gdns. WA4 —5A **16**
Haryngton Av. WA5 —6B **8**
Haslemere Dri. WA5 —3B **12**
Hastings Av. WA2 —1D **8**
Hatchery Clo. WA4 —5B **22**
Hatchings, The. WA13 —5D **18**
Hatchmere Clo. WA5 —1A **14**
Hatfield Gdns. WA4 —5G **21**
Hatters Row. WA1 —2D **14**
(off Horsemarket St.)
Havisham Clo. WA3 —6D **4**
Hawkshaw Clo. WA3 —1C **10**
Hawley's Clo. WA5 —4B **8**
Hawleys La. WA5 & WA2 —4B **8**
Hawthorne Av. WA1 —6B **10**
Hawthorne Av. WA5 —1D **12**
Hawthorne Gro. WA1 —6H **9**
Hawthorne Gro. WA4 —6F **15**
Hawthorne Rd. WA4 —1E **21**
Hawthorne Rd. WA13 —4B **18**
Hawthorne St. WA5 —5C **8**
Hawthorn Gro. WA4 —4F **15**
Haydock St. WA2 —1D **14**
Hayfield Rd. WA1 —6C **10**
Hayscastle Clo. WA5 —4A **8**
Hazelborough Clo. WA3 —6H **5**
Hazel Dri. WA13 —5D **18**
Hazel Gro. WA1 —5A **10**
Hazel St. WA1 —6F **9**
Hazelwood M. WA4 —6C **16**
Heather Clo. WA3 —6D **4**
Heathfield Pk. WA4 —5A **16**
Heath La. WA3 —1H **3**
Heath Rd. WA5 —2D **12**
Heath St. WA4 —1E **21**
Heathwood Gro. WA4 —6B **10**
Heatley Clo. WA13 —3F **19**
Heaton Ct. WA3 —5F **5**
Helmsdale La. WA5 —1G **13**
Helsby St. WA1 —1F **15**
Helston Clo. WA5 —2C **12**
Henderson Clo. WA5 —1B **12**
Henley Clo. WA4 —3G **21**
Henry St. WA1 —2C **14**
Henry St. WA13 —4C **18**
Henshall Av. WA4 —3H **15**
Hepherd St. WA5 —3H **13**
Heralds Grn. WA5 —3E **7**
Hermitage Grn. La. WA2 —2B **2**
Hertford Clo. WA1 —6D **10**
Hertford Pl. WA1 —6E **11**
Hesketh Clo. WA5 —3D **12**
Hesketh St. WA5 —3H **13**
Hesketh St. N. WA5 —3H **13**
Hewitt St. WA4 —4E **15**
Heyes Dri. WA13 —5A **18**
Heyes La. WA4 —1G **21**
Hickory Clo. WA1 —6E **11**
Higham Av. WA5 —4B **8**
Higher La. WA13 —5C **18**
Highfield Av. WA4 —5F **21**
Highfield Av. WA5 —2E **13**
Highfield Dri. WA13 —5A **18**
Highfield La. WA2 —3E **3**
Highfield Rd. WA13 —4A **18**
Highfield St. WA5 —2E **13**
High Gates Clo. WA5 —6A **8**
High Legh Rd. WA13 —6G **19**
Highwood Rd. WA4 —2E **21**

Hilary Clo. WA5 —1B **12**
Hilden Rd. WA2 —4G **9**
Hillberry Cres. WA4 —4D **14**
Hill Cliffe Rd. WA4 —6D **14**
Hillfoot Cres. WA4 —2D **20**
Hillock La. WA1 —6B **10**
Hillside Gro. WA5 —3D **12**
Hillside Rd. WA4 —5E **21**
Hill St. WA1 —2D **14**
Hilltop Rd. WA1 —5C **10**
Hill Top Rd. WA4 —5H **15**
Hilltop Rd. WA13 —5A **18**
Hilton Av. WA5 —2F **13**
Hindle Av. WA5 —4B **8**
Hinton Cres. WA4 —1G **21**
Hobhey La. WA3 —1E **5**
Hodgkinson Av. WA5 —4B **8**
Holes La. WA1 —5B **10**
Holford Av. WA5 —5B **8**
Holland St. WA5 —2A **14**
Hollins Dri. WA2 —5C **2**
Hollins La. WA2 —5A **2**
Hollow Dri. WA4 —6G **15**
Holly Bush La. WA3 —5H **11**
Holly Gro. WA1 —6A **10**
Hollyhedge La. WA4 —3A **20**
Holly Rd. WA5 —2C **12**
Holly Rd. WA13 —2F **19**
Holly Ter. WA5 —3D **12**
Holmes Ct. WA3 —1D **8**
Holmesfield Rd. WA1 —2F **15**
Holyhead Clo. WA5 —2H **7**
Honister Av. WA2 —3E **9**
Honiton Way. WA5 —3C **12**
Hood La. WA5 —2G **13**
Hood La. N. WA5 —1G **13**
Hood Mnr. Cen. WA5 —1G **13**
Hopefield Rd. WA13 —1F **19**
Hopwood St. WA1 —1E **15**
  (in two parts)
Hornby La. WA2 —5C **2**
Horrocks La. WA1 —2D **14**
Horsemarket St. WA1 —2D **14**
Horseshoe Cres. WA2 —2G **9**
Hough's La. WA4 —4C **20**
Houghton St. WA2 —1D **14**
Howard Av. WA13 —3E **19**
Howard Rd. WA3 —1G **5**
Howley La. WA1 —2F **15**
Howley Quay. WA1 —2F **15**
Howson Rd. WA2 —3E **9**
Hoyle St. WA5 —6B **8**
Hudson Clo. WA5 —5H **7**
Hughes Av. WA2 —3F **9**
Hughes Pl. WA2 —3F **9**
Hughes St. WA4 —4E **15**
Humber Rd. WA2 —3G **9**
Hume St. WA1 —1F **15**
Hunter Av. WA2 —3D **8**
Huntley St. WA5 —3G **13**
Hunts La. WA4 —5H **15**
Hurley Clo. WA5 —2G **13**

Ilex Av. WA2 —5D **2**
Inglenook Rd. WA5 —3D **12**
Inglewood Clo. WA3 —5H **5**
Insall Rd. WA2 —3H **9**
Intack La. WA16 —5G **23**
Ireland St. WA2 —5D **8**
Irwell Rd. WA4 —5D **14**
Isherwood Clo. WA2 —2H **9**
Ivy Rd. WA1 —6E **11**

Jackies La. WA13 —3D **18**
Jackson Av. WA1 —6H **9**
Jackson Av. WA3 —1E **5**
James St. WA1 —2D **14**
Jay Clo. WA3 —1G **11**

28 A-Z Warrington

Jervis Clo. WA2 —2A **10**
Jockey St. WA2 —6D **8**
John Rd. WA13 —4A **18**
John St. WA2 —1D **14**
Jolley St. WA1 —2C **14**
Joy La. WA5 —1B **6**
  (in two parts)
Jubilee Av. WA1 —5H **9**
Jubilee Av. WA5 —3C **12**
Jubilee Gro. WA13 —3A **18**
Juniper La. WA3 —5G **11**
Jurby Ct. WA2 —4H **9**

Kaye Av. WA3 —1F **5**
Keats Gro. WA2 —3E **9**
Keith Av. WA5 —1C **12**
Kelburn Ct. WA3 —5F **5**
Kelsall Clo. WA3 —2C **10**
Kelvin Clo. WA3 —5D **4**
Kemmel Av. WA4 —5E **15**
Kendal Av. WA2 —3E **9**
Kendrick St. WA1 —2C **14**
Kenilworth Dri. WA1 —5H **9**
Kensington Av. WA4 —5C **16**
Kentmere Pl. WA2 —2C **8**
Kent Rd. WA5 —3G **13**
Kent St. WA4 —3E **15**
Kenyon Av. WA5 —2C **12**
Kenyon La. WA3 —1H **3**
Kerfoot Bus. Pk. WA2 —6C **8**
Kerfoot St. WA2 —6C **8**
Kestrel La. WA3 —1E **11**
Keswick Av. WA2 —3E **9**
Keswick Cres. WA2 —3E **9**
Keyes Clo. WA3 —1F **11**
Keyes Gdns. WA3 —1F **11**
Kildonan Rd. WA4 —5A **16**
Kilford Clo. WA5 —3A **8**
Killingworth La. WA3 —6G **5**
Kilsyth Clo. WA2 —1H **9**
Kimberley Dri. WA4 —6E **15**
Kimberley St. WA5 —2A **14**
King Edward St. WA1 —6G **9**
Kingfisher Clo. WA3 —1F **11**
King George Cres. WA1 —6G **9**
Kingsdale Rd. WA5 —5D **6**
Kingsland Grange. WA1 —4C **10**
Kingsley Dri. WA4 —2E **21**
Kingsmead Ct. WA3 —3A **4**
Kings M. WA4 —1E **21**
Kings Rd. WA2 —3A **10**
Kingston Av. WA5 —1C **12**
Kingsway N. WA1 —1G **15**
Kingsway S. WA1 & WA4 —2G **15**
Kingswood Grn. WA5 —3F **7**
Kingswood Rd. WA5 —3E **7**
Kinross Clo. WA2 —1H **9**
Kinsale Dri. WA3 —1C **10**
Kintore Dri. WA5 —1B **12**
Kipling Av. WA2 —4E **9**
Kirkcaldy Av. WA5 —1B **12**
Kirkham Clo. WA3 —3F **13**
Kirkstone Av. WA2 —3E **9**
Kirkwall Dri. WA5 —4E **13**
Knightsbridge Av. WA4 —4C **16**
Knightsfield Pk. WA5 —3E **7**
Knutsford Old Rd. WA4 —5A **16**
Knutsford Rd. WA4 —5C **16**
  (Grappenhall)
Knutsford Rd. WA4 —3E **15**
  (Warrington)

Laburnum Av. WA1 —6C **10**
Laburnum La. WA5 —1A **12**
Ladies' Wlk. WA2 —5B **2**
Ladycroft Clo. WA1 —6E **11**
Lady La. WA3 —4B **4**
Ladywood Rd. WA5 —4G **7**

Laira Ct. WA2 —6E **9**
Laira St. WA2 —6E **9**
Lakeside Dri. WA1 —4C **14**
Lakeside Rd. WA13 —6B **18**
Lambs La. WA1 —6A **10**
  (Paddington)
Lambs La. WA1 —5A **10**
  (Padgate)
Lampeter Clo. WA5 —3H **7**
Lancaster Ct. WA4 —6G **15**
Lancaster St. WA5 —2A **14**
Lancing Av. WA2 —2C **8**
Landcut La. WA3 —2D **10**
Lander Clo. WA5 —6H **7**
Landseer Av. WA4 —6D **14**
Langcliffe Clo. WA3 —1E **5**
Langdale. WA13 —4D **18**
Langdale Clo. WA2 —2G **9**
Langford Way. WA4 —6D **22**
Langland Clo. WA5 —3A **8**
Langley Rd. WA2 —4E **9**
Langton Grn. WA1 —6D **10**
Langwell Clo. WA3 —6G **5**
Lansdowne. WA3 —1E **5**
Larch Av. WA5 —2C **12**
Larchways. WA4 —4F **21**
Larkfield Av. WA1 —6A **10**
Larkstone Clo. WA4 —4G **21**
Laskey La. WA4 —3F **17**
Latchford St. WA4 —4A **16**
Lathom Av. WA2 —5D **8**
Launceston Dri. WA5 —4C **12**
Laurel Av. WA1 —6D **10**
Laurel Av. WA12 —1A **2**
Laurel Bank. WA4 —6C **16**
Lawn Av. WA1 —5H **9**
Lawson Clo. WA1 —6E **11**
Laxey Av. WA1 —1D **16**
Layton Clo. WA3 —2E **11**
Leacroft Rd. WA3 —5F **5**
Leamington Clo. WA5 —5E **7**
Leatham Clo. WA3 —2E **11**
Ledsham Clo. WA3 —2C **10**
Ledyard Clo. WA5 —6H **7**
Lee Rd. WA5 —1F **13**
Legh St. WA1 —2C **14**
Legh St. WA13 —4C **18**
Leicester St. WA5 —2A **14**
  (in two parts)
Leonard St. WA2 —6E **9**
Leonard St. WA4 —6E **15**
Leon Clo. WA5 —6B **6**
Lewis Av. WA5 —3B **8**
Lexden St. WA5 —1A **14**
Libson Clo. WA2 —2A **10**
Lilac Av. WA5 —2E **13**
Lilac Gro. WA4 —6G **15**
Lilford Av. WA5 —5A **8**
Lilford Dri. WA5 —1D **12**
Lilford St. WA5 —6B **8**
  (in two parts)
Limekiln La. WA5 —2C **6**
Limetree Av. WA1 —5H **9**
Lime Tree Av. WA4 —6G **15**
Lincoln Clo. WA1 —1E **17**
Linden Clo. WA1 —6D **10**
Linden Clo. WA13 —3D **18**
Lindi Av. WA4 —5C **16**
Lindley Av. WA4 —3H **15**
Lindsworth Clo. WA5 —1G **13**
Lingley Grn. Av. WA5 —1A **12**
Lingley Rd. WA5 —1B **12**
Lingwood Rd. WA5 —1D **12**
Linkside Av. WA2 —5D **2**
Linnet Clo. WA2 —2F **9**
Linnet Gro. WA3 —2E **11**
Littlecote Gdns. WA4 —6G **21**
Littleton Clo. WA5 —3H **13**
Liverpool Rd. WA5 —1A **12**
  (Great Sankey)

Liverpool Rd. WA5 & WA1
  (Warrington)   —2B **14**
Livingstone Clo. WA5 —6H **7**
Locker Av. WA2 —3D **8**
Lockerbie Clo. WA2 —2G **9**
Lockett St. WA4 —4H **15**
Locking Stumps Cen. WA3
                       —1D **10**
Locking Stumps La. WA3 —2B **10**
Lock Rd. WA1 —1H **15**
Lockton La. WA5 —6A **8**
Lodge Clo. WA13 —3F **19**
Lodge La. WA5 —6A **8**
London Rd. WA4 —6E **15**
Longbarn Boulevd. WA2 —3C **10**
Long Barn La. WA2 & WA1
  (in three parts)   —3B **10**
Longbutt La. WA13 —4D **18**
Longdin St. WA4 —4G **15**
Longford St. WA2 —6D **8**
Long La. WA2 —4D **8**
Longshaw St. WA5 —3B **8**
Longwood Rd. WA4 —6F **21**
Lord Nelson St. WA1 —2E **15**
Lords La. WA3 —1B **10**
Lord St. WA3 —3A **4**
Lord St. WA4 —3D **14**
Lostock Av. WA5 —5B **8**
Loushers La. WA4 —5E **15**
Lovage Clo. WA2 —3C **10**
Lovatt Ct. WA13 —3F **19**
Lovely La. WA5 —1A **14**
Lowe Av. WA4 —3H **15**
Lwr. Hill Top Rd. WA4 —5H **15**
Lwr. Wash La. WA4 —4G **15**
Loweswater Clo. WA2 —2D **8**
Lowry Clo. WA5 —1H **13**
Loxley Clo. WA5 —5E **7**
Lumb Brook Rd. WA4 —6G **15**
  (in two parts)
Lychgate. WA4 —2B **20**
Lydbury Clo. WA5 —3H **7**
Lydstep Clo. WA5 —3A **8**
Lyme Gro. WA13 —5A **18**
Lyme St. WA1 —2D **14**
Lymmhay La. WA13 —3C **18**
Lymmington Av. WA13 —4A **18**
Lymm Rd. WA4 —4E **17**
Lymm Rd. WA13 —6H **19**
Lyncastle Rd. WA4 —6C **22**
Lyncastle Way. WA4 —5D **22**
Lyndale Av. WA2 —3H **9**
  (Fearnhead)
Lyndale Av. WA2 —5F **9**
  (Warrington)
Lynham Av. WA5 —2F **13**
Lynton Clo. WA5 —3C **12**
Lynton Gdns. WA4 —5F **21**
Lynwood Av. WA4 —2E **21**
Lyons La. WA4 —3F **21**
Lyons Rd. WA5 —3D **12**
Lyon St. WA4 —4H **15**
Lyster Clo. WA3 —2F **11**
Lythgoes La. WA2 —1D **14**

Macarthur Rd. WA5 —1F **13**
McCarthy Clo. WA3 —2G **11**
McKee Av. WA2 —3D **8**
Magnolia Clo. WA1 —6E **11**
Mairesfield Av. WA4 —5B **16**
Malcolm Av. WA2 —4F **9**
Mallard Clo. WA2 —2F **9**
Mallard Gro. WA3 —2F **11**
Mallard La. WA3 —2F **11**
Mall, The. WA1 —2D **14**
Malpas Dri. WA5 —2G **13**
Malpas Way. WA5 —3G **13**
Malston Rd. WA5 —2G **13**
Maltmans Rd. WA13 —4B **18**
Malvern Clo. WA5 —5E **7**

Manchester Rd. WA1 —6H **9**
(Paddington)
Manchester Rd. WA1 —1F **15**
(Warrington)
Manchester Rd. WA3 —6H **11**
Mancroft Clo. WA1 —6E **11**
Manley Gdns. WA5 —2B **14**
Manor Clo. WA1 —6D **10**
Manor Clo. WA13 —5C **18**
Manor Ind. Est. WA4 —4G **15**
Manor Lock. WA4 —3G **15**
Manor Rd. WA13 —5C **18**
(in two parts)
Mansfield Clo. WA3 —1G **11**
Manston Rd. WA5 —4D **12**
Manuel Perez Rd. WA5 —1F **13**
Manx Rd. WA4 —4D **14**
Maple Cres. WA5 —3D **12**
Maple Gro. WA4 —4F **15**
Maple Rd. WA1 —6E **11**
Maple Rd. WA2 —5D **2**
Mapplewell Cres. WA5 —1E **13**
Marbury St. WA4 —4E **15**
Marcross Clo. WA5 —4A **8**
Mardale Av. WA2 —2D **8**
Mardale Cres. WA13 —3D **18**
Margaret Av. WA1 —6B **10**
Marie Dri. WA4 —5D **16**
Marina Av. WA5 —3F **13**
Marina Dri. WA4 —4E **9**
Market Ga. WA1 —2D **14**
Marlborough Cres. WA4 —5H **15**
Marlfield Rd. WA4 —5A **16**
Marlow Clo. WA3 —6C **4**
Marron Av. WA2 —3D **8**
Marsden Av. WA4 —3A **16**
Marshall Av. WA5 —3B **8**
Marshall Rd. WA1 —6D **10**
Marsh Ho. La. WA2 & WA1 —6E **9**
Marsh La. WA5 —5A **12**
Marsh Rd. WA4 —5B **22**
Marsh St. WA1 —6F **9**
Marson Rd. WA2 —1C **14**
Martham Clo. WA4 —4A **16**
Martin Av. WA2 —4G **9**
Martinscroft Grn. WA4 —6F **11**
Mason Av. WA1 —5G **9**
Mason St. WA1 —2E **15**
Massey Av. WA5 —3B **8**
Massey Av. WA13 —5G **17**
Massey Brook La. WA13 —5G **17**
Mathers Clo. WA2 —1A **10**
Matlock Clo. WA5 —5E **7**
Matthews St. WA1 —6F **9**
Mawdsley Av. WA1 —6E **11**
Mawson Clo. WA5 —5H **7**
Mayberry Gro. WA2 —4A **10**
Maybrook Pl. WA4 —4H **15**
Mayfair Clo. WA5 —6B **6**
Mayfield Av. WA5 —4A **16**
Mayfield View. WA13 —5C **18**
Maythorn Av. WA3 —4A **4**
Meadow Av. WA4 —5C **14**
Meadow La. WA2 —3G **9**
Meadow View. WA13 —3B **18**
Mead Rd. WA1 —5A **10**
Medway Clo. WA2 —3G **9**
Medway Rd. WA3 —1G **5**
Meeting La. WA5 —2B **12**
Melbury Ct. WA3 —5F **5**
Melford Ct. WA1 —5D **10**
Melrose Av. WA1 —1F **21**
Melton Av. WA4 —1D **20**
Melville Clo. WA2 —6D **8**
Mendip Av. WA2 —2D **8**
Menin Av. WA4 —4E **15**
Menlow Clo. WA4 —6C **16**
Mentmore Gdns. WA4 —3H **21**
Meredith Av. WA4 —5B **16**
Mere Rd. WA2 —3A **10**

Merewood Clo. WA2 —2F **9**
Merrick Clo. WA2 —2G **9**
Mersey St. WA1 —3D **14**
Mersey Wlk. WA4 —2H **15**
Mertoun Rd. WA4 —6D **14**
Meteor Cres. WA2 —3F **9**
Middlehurst Rd. WA4 —5A **16**
Miles Clo. WA3 —2F **11**
Milford Gdns. WA4 —5F **21**
Mill Av. WA5 —6C **6**
Millbank. WA13 —4C **18**
Mill Clo. WA4 —2G **9**
Millers La. WA13 —2F **19**
Miller St. WA4 —3E **15**
Mill Farm Clo. WA4 —2G **9**
Millhouse Av. WA4 —6F **15**
Mill Ho. La. WA3 —5A **4**
Mill La. WA2 —1G **9**
(Houghton Green)
Mill La. WA2 —6A **2**
(Winwick)
Mill La. WA2 —2A **20**
(Higher Walton)
Mill La. WA4 —6F **15**
(Stockton Heath)
Mill La. WA5 —2A **14**
Mill La. WA12 —1A **2**
Mill La. WA13 —1G **19**
Milner St. WA5 —2B **14**
Milton Gro. WA4 —5F **15**
Milvain Dri. WA2 —4E **9**
Minerva Clo. WA4 —5F **15**
Mitchell St. WA4 —1E **21**
Mobberley Clo. WA4 —4D **16**
Molly Pitcher Way. WA5 —2F **13**
Molyneux Av. WA5 —5B **8**
Monkswood Clo. WA5 —3A **8**
Monmouth Clo. WA1 —6E **11**
Monroe Clo. WA4 —6B **10**
Montclare Cres. WA4 —5G **15**
Montcliffe Clo. WA3 —6C **4**
Montrose Clo. WA2 —1H **9**
Moore Av. WA4 —4D **16**
Moore Cres. WA13 —2F **19**
Moore Gro. WA13 —2F **19**
Morgan Av. WA2 —2H **9**
Morley Rd. WA4 —6C **14**
Morley St. WA1 —1E **15**
Morris Av. WA4 —3H **15**
Morrison Clo. WA5 —2E **13**
Mort Av. WA4 —3A **16**
Mortimer Av. WA2 —5D **8**
Morton Clo. WA5 —5G **7**
Morven Clo. WA2 —2G **9**
Moseley Av. WA3 —3A **16**
Moss Clo. WA4 —5G **15**
Mossdale Clo. WA5 —6E **7**
Moss Ga. WA3 —5G **5**
Moss Gro. WA13 —3F **19**
Moss La. WA1 —5E **11**
Moss La. WA16 —6H **23**
Moss Rd. WA4 —4A **16**
Moston Gro. WA13 —4B **18**
Mottram Clo. WA4 —4C **16**
Moulders La. WA1 —3D **14**
Mowcroft La. WA5 —4A **12**
Moxon Av. WA4 —2H **15**
Muirfield Clo. WA2 —2A **10**
Mulberry Clo. WA1 —1E **17**
Mulberry St. WA4 —6F **15**
Mullen Clo. WA5 —4B **8**
Mullion Gro. WA2 —4A **10**
Muriel Clo. WA5 —1B **12**
Museum St. WA1 —3C **14**
Mustard La. WA3 —3A **4**
Myddleton La. WA2 —5D **2**
Myrtle Gro. WA4 —4F **15**

Nairn Clo. WA2 —2B **10**

Nansen Clo. WA5 —6H **7**
Napier Av. WA5 —2E **15**
(in two parts)
Nares Clo. WA5 —4G **7**
Narrow La. WA4 —6B **16**
Navigation St. WA1 —2F **15**
Naylor St. WA1 —3D **14**
Nelson Rd. WA3 —1D **10**
Neville Av. WA2 —4F **9**
Neville Cres. WA5 —4E **13**
Newborough Clo. WA5 —3H **7**
Newbridge Clo. WA5 —3G **7**
Newchurch La. WA3 —1F **5**
Newcombe Av. WA2 —5G **9**
New Cut La. WA1 —6B **10**
Newfield Ct. WA13 —2E **19**
Newfield Rd. WA13 —4B **18**
New Hall La. WA3 —2F **5**
Newhaven Rd. WA2 —1D **8**
Newlands Rd. WA4 —5H **15**
New La. WA3 —4A **4**
New La. WA4 —4B **22**
Newman St. WA4 —3H **15**
New Market Way. WA1 —2D **14**
New Rd. WA4 —4C **16**
(Thelwall)
New Rd. WA4 —3E **15**
(Warrington, in two parts)
New Rd. WA13 —4C **18**
Newsholme Clo. WA3 —1F **5**
Newton Av. WA2 —2H **9**
Newton Rd. WA2 —2B **2**
Nicholls St. WA4 —5B **16**
Nicholson St. WA1 —2B **14**
Nicol Av. WA3 —5F **11**
Nightingale Clo. WA3 —1F **11**
Noble Clo. WA3 —2E **11**
Nook La. WA2 —3B **10**
Nook La. WA4 —4A **16**
Nora St. WA1 —2E **15**
Norbreck Clo. WA5 —3E **13**
Norbury Av. WA2 —5F **9**
Norcott Av. WA4 —5F **15**
Norden Clo. WA3 —6C **4**
Norfolk Dri. WA5 —1C **12**
Norman Av. WA12 —1A **2**
Norman St. WA2 —1D **14**
Norreys Av. WA5 —5B **8**
Norris St. WA2 —5E **9**
North Av. WA2 —5D **8**
Northdale Rd. WA1 —5A **10**
Northolt Ct. WA2 —4G **9**
North Pk. Brook Rd. WA5 —3A **8**
North View. WA5 —6C **6**
Northway. WA2 —4D **8**
Northway. WA13 —3B **18**
Norton Av. WA5 —2C **12**
Nottingham Clo. WA1 —1E **17**
Nursery Rd. WA1 —5H **9**
Nuttall Ct. WA3 —1C **10**

Oak Av. WA12 —1A **2**
Oakdale Av. WA4 —6F **15**
Oakdene Av. WA1 —6C **10**
Oaklands Dri. WA13 —5B **18**
Oakland St. WA1 —6G **9**
Oakmere Dri. WA5 —4D **12**
Oak Rd. WA5 —4D **12**
Oak Rd. WA13 —4A **18**
Oak St. WA3 —4A **4**
Oakways. WA4 —4F **21**
Oakwood Av. WA1 —6F **9**
Oakwood Ga. WA3 —1D **10**
Oakwood Mt. WA3 —2F **11**
Oban Gro. WA2 —2A **10**
Old Cherry La. WA13 —3G **23**
Old Chester Rd. WA4 —2B **20**
Oldfield Rd. WA13 —3H **17**
(in two parts)

Old Hall Clo. WA4 —1C **20**
Old Hall Rd. WA5 —5H **7**
Oldham St. WA4 —4F **15**
Old Market Pl. WA1 —2D **14**
(off Horsemarket St.)
Old Pewterspear La. WA4 —6F **21**
Old Rd. WA4 —3D **14**
Old School Ho. La. WA2 —4C **2**
Old Smithy La. WA13 —5A **18**
O'Leary St. WA4 —2E **9**
Oliver St. WA2 —1D **14**
Ollerton Clo. WA4 —4B **16**
Orange Gro. WA2 —3G **9**
Orchard Av. WA13 —4D **18**
Orchard Ct. WA3 —3A **4**
Orchard Rd. WA13 —2F **19**
Orchard St. WA1 —2E **15**
Orchard St. WA2 —3A **10**
Orchard St. WA4 —1E **21**
Ordnance Av. WA3 —2E **11**
Orford Av. WA2 —6E **9**
Orford Grn. WA2 —4F **9**
Orford La. WA2 —1D **14**
Orford Rd. WA2 & WA1 —5F **9**
Orford St. WA1 —2D **14**
Orrell Clo. WA5 —1E **13**
Osborne Av. WA2 —4F **9**
Osborne Rd. WA4 —6D **14**
Osprey Clo. WA2 —2G **9**
Oughtrington Cres. WA13 —4F **19**
Oughtrington La. WA13 —6E **19**
Oughtrington View. WA13 —3F **19**
Oulton Ct. WA4 —5B **16**
Owen St. WA2 —6C **8**
Oxford St. WA4 —3E **15**
Oxmead Clo. WA4 —4B **10**

Paddington Bank. WA1 —1H **15**
Paddock, The. WA13 —4G **19**
Padgate Bus. Cen. WA1 —5A **10**
Padgate La. WA1 —6F **9**
(in two parts)
Padstow Clo. WA5 —4C **12**
Paignton Clo. WA5 —3C **12**
Palatine Ind. Est. WA4 —4E **15**
Palin Dri. WA5 —1D **12**
Palliser Clo. WA3 —2G **11**
Palmer Cres. WA5 —5H **7**
Palmyra Ho. WA1 —2C **14**
Palmyra Sq. N. WA1 —2C **14**
Palmyra Sq. S. WA1 —2C **14**
Pangbourne Clo. WA4 —3G **21**
Park Av. WA4 —4F **15**
Park Boulevd. WA1 —3C **14**
Park Cres. WA4 —3F **21**
Parkdale Rd. WA1 —6A **10**
Parker St. WA1 —3C **14**
Parkfield Av. WA4 —3A **16**
Parkfields La. WA2 —3H **9**
Parkgate Rd. WA4 —6F **15**
Parkland Clo. WA5 —5B **22**
Park La. WA4 —4B **20**
Park Pl. WA1 —2C **14**
Park Rd. WA2 —4F **9**
Park Rd. WA5 —6A **6**
Park Rd. WA13 —6H **19**
Park Rd. S. WA12 —1A **2**
Parkside Rd. WA2 & WA3 —3D **2**
Parksway. WA1 —6D **10**
Park, The. WA5 —4B **12**
Park View. WA2 —2G **9**
Parkwood Clo. WA13 —5B **18**
Parr St. WA1 —3E **15**
(in two parts)
Parry Dri. WA4 —4E **17**
Parsonage Way. WA5 —2E **13**
Partridge Clo. WA3 —1E **11**
Pasture Dri. WA3 —4A **4**
Pasture La. WA2 —4B **10**

Shaw's Av. WA4 —5D **8**
Shaw St. WA3 —1G **5**
Sheerwater Clo. WA1 —6H **9**
Sheffield Clo. WA5 —2G **13**
Shelley Gro. WA4 —3H **15**
Shepcroft La. WA4 —6E **21**
Shepperton Clo. WA4 —3G **21**
Sherringham Rd. WA5 —1C **12**
Shetland Clo. WA2 —1G **9**
Shiggins Clo. WA5 —1H **13**
Shillingford Clo. WA4 —4G **21**
Shipton Clo. WA5 —5F **7**
Shirley Dri. WA4 —5A **16**
Shoreham Dri. WA5 —4E **15**
Shorwell Clo. WA5 —6A **6**
Shrewsbury St. WA4 —4F **15**
Shropshire Clo. WA1 —1E **17**
Side Kerfoot St. WA2 —6C **8**
Sidmouth Clo. WA5 —3C **12**
Silverdale Rd. WA4 —5D **14**
Silver La. WA3 —4E **5**
Silver St. WA2 —1D **14**
Simkin Av. WA4 —3H **15**
Sinclair Av. WA2 —3D **8**
Sixpenny Wlk. WA1 —1E **15**
Slater St. WA4 —3E **15**
Slutchers La. WA1 —4C **14**
Small Av. WA2 —3E **9**
Small Cres. WA2 —3E **9**
Smith Cres. WA2 —5F **9**
Smith Dri. WA2 —5F **9**
Smithills Clo. WA3 —6D **4**
Smith St. WA1 —2D **14**
Smithy La. WA3 —3A **4**
Snaefell Rise. WA4 —2E **21**
Snithy Brow. WA3 —4H **3**
Snowdon Clo. WA5 —1C **12**
Solway Clo. WA2 —1H **9**
Somerset Way. WA1 —5B **10**
Sorrel Clo. WA2 —3C **10**
South Av. WA2 —5D **8**
South Av. WA4 —6E **15**
South Dale. WA5 —2D **12**
Southdale Rd. WA1 —6A **10**
Southern Expressway. WA1
—1E **15**
Southern St. WA4 —6E **15**
Southfields Av. WA5 —1D **12**
Southlands Av. WA5 —4D **12**
Southway Av. WA4 —2F **21**
Southworth Av. WA5 —5B **8**
Southworth La. WA2 —4F **3**
Sovereign Ct. WA3 —1C **10**
Spinney Gdns. WA4 —5B **22**
Springfield Av. WA1 —5H **9**
Springfield Av. WA4 —4B **16**
Springfield Av. WA13 —2F **19**
Springfield St. WA1 —2C **14**
Springholm Dri. WA4 —6F **21**
Spring La. WA3 —5B **4**
Spring La. WA13 —4H **19**
Spruce Clo. WA1 —6E **11**
Square, The. WA13 —4C **18**
Stafford Clo. WA5 —4E **15**
Stage La. WA13 —3F **19**
Staines Clo. WA4 —4G **21**
Stainmore Clo. WA3 —5H **5**
Stamford Ct. WA13 —4C **18**
Stanley Av. WA4 —5H **15**
Stanley Av. WA5 —6B **6**
Stanley Pl. WA4 —5H **15**
Stanley St. WA1 —3D **14**
Stanner Clo. WA5 —3H **7**
Stansfield Av. WA1 —1H **15**
Stanstead Av. WA5 —4D **12**
Stanton Rd. WA4 —4D **16**
Stapleton Av. WA2 —5F **9**
Starkey Gro. WA4 —3H **15**
Star La. WA13 —3A **18**
Statham Av. WA2 —3E **9**

Statham Av. WA13 —4A **18**
Statham Clo. WA13 —4B **18**
Statham Dri. WA13 —4B **18**
Statham La. WA3 —6G **11**
Statham La. WA13 —2H **17**
Station Rd. WA4 —5G **15**
Station Rd. WA5 —2D **12**
  (Great Sankey)
Station Rd. WA5 —4B **12**
  (Penketh)
Station Rd. Ind. Est. WA4 —5H **15**
Station Rd. N. WA2 —3A **10**
Station Rd. S. WA2 —4A **10**
Steel St. WA1 —6F **9**
Stephen St. WA1 —1F **15**
Step Ho. La. WA3 —4A **4**
Stetchworth Rd. WA4 —6D **14**
Stirling Clo. WA1 —6E **11**
Stirrup Clo. WA2 —2A **10**
Stockport Rd. WA4 —5C **16**
Stocks La. WA5 —1B **12**
Stockton La. WA4 —6G **15**
Stoneacre Gdns. WA4 —5G **21**
Stonecrop Clo. WA3 —1C **10**
Stonehaven Dri. WA2 —2A **10**
Stonehill Clo. WA4 —5F **21**
Stoneleigh Gdns. WA4 —6D **16**
Stone Pit La. WA3 —1G **3**
Stratton Rd. WA5 —2F **13**
Strawberry Clo. WA3 —1C **10**
Street 3 N. WA3 —6E **5**
Street 10 N. WA3 —5E **5**
Stretton Rd. WA4 —6G **21**
Stringer Cres. WA4 —3G **15**
Stromness Clo. WA2 —2B **10**
Stuart Dri. WA4 —5H **15**
Sturby Ct. WA2 —4G **9**
Suez St. WA1 —2D **14**
Suffolk Clo. WA1 —1E **17**
Sulby Av. WA4 —4D **14**
Summerfield Av. WA5 —3B **8**
Summerville Gdns. WA4 —6H **15**
Sunbury Clo. WA2 —2G **21**
Suncroft Clo. WA1 —6E **11**
Sunnyside. WA5 —1C **12**
Surrey St. WA4 —4F **15**
Susan Dri. WA5 —2B **12**
Sutch La. WA13 —4E **19**
Sutton St. WA1 —3E **15**
Swaledale Clo. WA5 —6E **7**
Swallow Clo. WA3 —1F **11**
Swanage Clo. WA4 —5G **15**
Swift Clo. WA2 —2G **9**
Swindale Av. WA2 —2D **8**
Swineyard La. WA16 —5F **23**
Sycamore Dri. WA13 —3B **18**
Sycamore La. WA5 —1F **13**
Sylvia Cres. WA2 —4F **9**
Synge St. WA2 —6E **9**

Talbot Clo. WA3 —2E **11**
Tan Ho. La. WA5 —1D **6**
Tankersley Gro. WA5 —2E **13**
Tanners La. WA2 —1C **14**
Tannery La. WA5 —4A **12**
Tanning Ct. WA1 —3D **14**
Taplow Clo. WA4 —3G **21**
Tarn Ct. WA1 —6F **11**
Tasman Clo. WA5 —5G **7**
Tatton Ct. WA1 —5D **10**
Tavistock Rd. WA5 —3C **12**
Tavlin Av. WA5 —4B **8**
Taylor Ind. Est. WA3 —1F **5**
Taylor St. WA4 —6C **14**
Teal Clo. WA2 —2G **9**
Teal Gro. WA3 —2F **11**
Teddington Clo. WA4 —4G **21**
Teesdale Clo. WA5 —6D **6**
Tenby Clo. WA5 —3A **8**

Tennyson Dri. WA2 —3E **9**
Terence Av. WA1 —6H **9**
Thames Clo. WA2 —3F **9**
Thames Rd. WA3 —1F **5**
Thelwall Ind. Est. WA4 —4C **16**
Thelwall La. WA4 —4H **15**
Thelwall New Rd. WA4 —5H **15**
Thetford Rd. WA5 —1C **12**
Thewlis St. WA5 —2A **14**
Thirlmere Av. WA2 —2E **9**
Thirlmere Dri. WA13 —4D **18**
Thomasons Bri. La. WA4 —3A **20**
Thorn Clo. WA5 —4D **12**
Thornley Clo. WA13 —4A **18**
Thornley Rd. WA13 —4A **18**
Thorn Rd. WA1 —5A **10**
Thornton Rd. WA5 —3F **13**
Thorn Tree Grn. WA4 —4B **22**
Thurston Clo. WA5 —1H **13**
Thynne St. WA1 —3C **14**
Tidal La. WA1 —5H **9**
Tilley St. WA1 —1E **15**
Tilman Clo. WA5 —5F **7**
Tilston Av. WA4 —3A **16**
Timberscombe Gdns. WA1
—1E **17**
Timmis Clo. WA2 —2A **10**
Timperley Av. WA3 —3A **16**
Tinsley St. WA4 —4H **15**
Tiverton Sq. WA5 —2C **12**
Toll Bar Pl. WA2 —1C **8**
Toll Bar Rd. WA2 —2C **8**
Tomlinson Av. WA2 —5F **9**
Topping Ct. WA3 —1C **10**
Top Sandy La. WA2 —2D **8**
Totland Clo. WA5 —6A **6**
Tourney Grn. WA5 —3E **7**
Tower La. WA13 —5D **18**
Towers Ct. WA5 —6A **8**
Town Hill. WA1 —2D **14**
Townsfield Rd. WA2 —6C **2**
Tracy Dri. WA12 —1A **2**
Trafford Av. WA5 —6A **8**
Tragan Dri. WA5 —4B **12**
Treetops Clo. WA1 —6H **9**
Trefoil Clo. WA3 —6C **4**
Trident Ind. Est. WA3 —4F **5**
Trinity St. WA3 —6F **5**
Trossach Clo. WA2 —3G **9**
Troutbeck Av. WA5 —6B **8**
Truro Clo. WA5 —5B **10**
Tudor Clo. WA4 —5A **16**
Tudor Ct. WA4 —6G **15**
Turnberry Clo. WA13 —3A **18**
Turton Clo. WA3 —6C **4**
Tweedsmuir Clo. WA2 —1A **10**
Twenty Acre Rd. WA5 —5G **7**
Tyne Clo. WA2 —3G **9**
Tynwald Dri. WA4 —1E **21**

Ullswater Av. WA2 —2E **9**
Ulverston Av. WA2 —2D **8**
Underbridge La. WA4 —3A **20**
Union St. WA1 —2D **14**
Unsworth Ct. WA2 —4H **9**
Upton Dri. WA5 —2D **12**

Vale Av. WA2 —5D **8**
Valeowen Rd. WA2 —4F **9**
Valiant Clo. WA2 —3H **9**
Valley Ct. WA2 —4H **9**
Vanguard Ct. WA3 —1D **9**
Vaudrey Dri. WA1 —6D **10**
Vauxhall Clo. WA5 —3D **12**
Venns Rd. WA2 —5F **9**
Ventnor Clo. WA5 —6A **6**
Vernon St. WA1 —3D **14**
Vicarage Wlk. WA4 —1E **21**

Victoria Av. WA4 —5A **16**
Victoria Av. WA5 —1B **12**
Victoria Cres. WA5 —3E **7**
Victoria Pl. WA4 —6E **15**
Victoria Rd. WA4 —5H **15**
  (Grappenhall)
Victoria Rd. WA4 —6F **15**
  (Stockton Heath)
Victoria Rd. WA5 —3F **13**
  (Great Sankey)
Victoria Rd. WA5 —3B **12**
  (Penketh)
Victoria Sq. WA4 —6E **15**
Victoria St. WA1 —2E **15**
Village Clo. WA4 —3E **17**
Villars St. WA1 —2F **15**
Vincent Clo. WA5 —5G **7**
Vine Cres. WA5 —1D **12**
Violet Clo. WA3 —1C **10**
Violet Ct. WA3 —1C **10**
Vose Clo. WA5 —1H **13**
Vulcan Clo. WA2 —3H **9**

Waddington Clo. WA2 —4H **9**
Wadeson Way. WA3 —4B **4**
Walkers La. WA5 —4C **12**
Walker St. WA2 —1C **14**
Wallis St. WA4 —4D **14**
Walnut Clo. WA1 —6E **11**
Walpole Gro. WA2 —3E **9**
Walsingham Rd. WA5 —2D **12**
Walter St. WA1 —6G **9**
Walton Av. WA5 —2C **12**
Walton Heath Rd. WA4 —6D **14**
Walton La. WA3 —6E **5**
Walton Lea Rd. WA4 —2B **20**
  (in two parts)
Walton Rd. WA3 —1F **5**
Walton Rd. WA4 —1D **20**
Wansfell Pl. WA2 —2C **8**
Warburton Clo. WA13 —3E **19**
Warburton St. WA4 —6F **15**
Ward Clo. WA5 —4F **7**
Wardley Rd. WA4 —6D **14**
Wardour St. WA5 —1A **14**
Wareham Clo. WA1 —5C **10**
Waring Av. WA4 —2H **15**
Warren Dri. WA4 —1E **21**
Warren La. WA1 —5D **10**
Warren Rd. WA2 —4F **9**
Warren Rd. WA4 —2E **21**
Warrington Bus. Pk. WA2 —4E **9**
Warrington La. WA13 —4H **19**
Warrington Rd. WA3 —2D **10**
Warrington Rd. WA4 —4A **20**
Warrington Rd. WA5 —1A **12**
  (Great Sankey)
Warrington Rd. WA5 —3C **12**
  (Penketh)
Warrington Rd. WA13 —4G **17**
Warton Clo. WA5 —4E **13**
Warwick Av. WA5 —6B **6**
  (Great Sankey)
Warwick Av. WA5 —6B **8**
  (Warrington)
Warwick Av. WA12 —1A **2**
Washington Dri. WA5 —1F **13**
Wash La. WA4 —4G **15**
Wasley Clo. WA2 —2H **9**
Waterbridge Ct. WA4 —1F **21**
Waterside. WA4 —1F **21**
Waterways. WA5 —1H **13**
Waterworks La. WA2 —5D **2**
Watery La. WA2 —5A **2**
Watkin St. WA2 —6D **8**
Watton Clo. WA4 —4C **16**
Waverley Av. WA4 —1D **16**
Wayside Clo. WA13 —5B **18**
Waywell Clo. WA2 —2H **9**

Weaste La. WA4 —6D **16**
Weaver Rd. WA3 —1G **5**
Weddell Clo. WA5 —6H **7**
Wednesbury Dri. WA5 —1D **12**
Weir La. WA1 —1E **17**
Weir St. WA4 —6C **14**
Wellfield St. WA3 —3A **14**
 (in three parts)
Wellington St. WA1 —2E **15**
Well La. WA5 —4C **12**
Wells Clo. WA1 —5B **10**
Welsby Clo. WA2 —2H **9**
Welshpool Clo. WA5 —2H **7**
Welwyn Clo. WA4 —4C **16**
Wensleydale Clo. WA5 —5D **6**
Wentworth Av. WA1 —6B **10**
Wessex Clo. WA1 —6E **11**
West Av. WA2 —5D **8**
West Av. WA4 —6E **15**
Westbourne Rd. WA4 —2D **20**
Westbrook Av. WA4 —5F **15**
Westbrook Cen. WA5 —4G **7**
Westbrook Cres. WA5 —4F **7**
Westbrook Way. WA5 —4E **7**
Westdale Rd. WA4 —6A **10**
West Dri. WA5 —3F **13**
Westford Rd. WA4 —6C **14**
Westhay Cres. WA3 —6G **5**
W. Heath Gro. WA13 —3A **18**
West Hyde. WA13 —4A **18**
Westminster Clo. WA4 —4C **16**
Westminster Pl. WA1 —2D **14**
Westover Rd. WA1 —6H **9**
W. Quay Rd. WA2 —2B **8**
West St. WA2 —6D **8**
West View. WA2 —4A **10**
Westy La. WA4 —3G **15**
Wet Ga. La. WA13 —3G **19**
Weybridge Clo. WA4 —2G **21**
Whalley St. WA1 —1E **15**
Wharfdale Clo. WA5 —6E **7**
Wharf Ind. Est. WA1 —3E **15**

Wharfside Ct. WA4 —1G **21**
Wharf St. WA1 —3D **14**
Wheatcroft Clo. WA5 —1G **13**
Whinchat Dri. WA3 —2F **11**
Whitbarrow Rd. WA13 —3A **18**
Whitby Av. WA2 —3F **9**
White Broom. WA13 —3F **19**
Whitecross Rd. WA5 —2A **14**
Whitefield. WA13 —3E **19**
Whitefield Clo. WA13 —2E **19**
Whitefield Gro. WA13 —3E **19**
Whitefield Rd. WA4 —1D **20**
Whitegate Av. WA3 —1F **5**
White Ho. Dri. WA1 —6E **11**
Whiteleggs La. WA13 —6F **19**
Whitesands Rd. WA13 —3A **18**
White St. WA1 —2C **14**
White St. WA4 —6E **15**
Whitethorn Av. WA5 —2D **12**
Whitethroat Wlk. WA3 —2F **11**
Whitfield Av. WA1 —6H **9**
Whitley Av. WA4 —3A **16**
Whittaker Av. WA2 —3F **9**
Whittle Av. WA5 —6E **7**
Whittle Hall La. WA5 —1D **12**
Whittlewood Clo. WA3 —6G **5**
Whitworth Clo. WA3 —2E **11**
Widdale Clo. WA5 —6D **6**
Widnes Rd. WA5 —5A **12**
Wigmore Clo. WA3 —5G **5**
Wilderspool Causeway. WA4
—3D **14**
Wilderspool Cres. WA4 —6D **14**
Wildings Old La. WA3 —3A **4**
Wildwood Gro. WA1 —6B **10**
Wilkinson Av. WA1 —1H **15**
Wilkinson St. WA2 —6E **9**
William Beamont Way. WA1
—2C **14**
William Penn Clo. WA5 —2C **12**
Willis St. WA1 —1F **15**
Willoughby Clo. WA5 —4G **7**

Willow Clo. WA13 —3C **18**
Willow Cres. WA1 —5B **10**
Willow Dri. WA4 —6G **15**
Willow La. WA4 —5F **21**
Wilmot Av. WA5 —1D **12**
Wilmslow Cres. WA4 —3D **16**
Wilson Clo. WA4 —4D **16**
Wilson Patten St. WA1 —3C **14**
Wilson St. WA5 —6C **8**
Wiltshire Clo. WA1 —1D **16**
Winchester Av. WA5 —2G **13**
Windermere Av. WA2 —2E **9**
Windle Ct. WA3 —1C **10**
Windmill Clo. WA4 —3E **21**
Windmill La. WA4 —3E **21**
Windmill La. WA5 —2C **12**
Windscale Rd. WA2 —3A **10**
Windsor Av. WA12 —1A **2**
Windsor Dri. WA4 —5B **16**
Windsor St. WA5 —1A **14**
Winfrith Rd. WA2 —3A **10**
Winifred St. WA2 —6E **9**
Winmarleigh St. WA1 —2C **14**
Winstanley Clo. WA5 —2G **13**
Winstanley Ind. Est. WA2 —4D **8**
Winwick La. WA3 —3E **3**
Winwick Link Rd. WA2 —5D **2**
Winwick Rd. WA2 —2C **8**
Winwick Rd. WA12 —1A **2**
Winwick St. WA2 & WA1 —1D **14**
Wishaw La. WA3 —2C **4**
Withers Av. WA2 —5F **9**
Wither's La. WA16 —3H **23**
 (in two parts)
Withycombe Rd. WA5 —3C **12**
Woburn Av. WA12 —1A **2**
Woburn Rd. WA2 —1C **8**
Woodbank Rd. WA5 —3E **13**
Woodbine Rd. WA13 —3F **19**
Woodcote Clo. WA2 —4F **9**
Woodford Clo. WA4 —4C **16**
Woodhall Clo. WA5 —5E **7**

Woodhouse Clo. WA3 —2E **11**
Woodland Av. WA13 —5E **19**
Woodland Dri. WA13 —5D **18**
Woodlands Dri. WA4 —4D **16**
Wood La. WA4 —1G **21**
Woodley Fold. WA5 —3D **12**
Woodpecker Clo. WA3 —1F **11**
Woodside Rd. WA5 —1D **12**
Woodside Rd. WA13 —6F **19**
Wood St. WA1 —1F **15**
Woodvale Clo. WA2 —5G **9**
Woolacombe Clo. WA4 —5F **15**
Woolmer Clo. WA3 —5H **5**
Woolston Grange Av. WA2 & WA1
—3C **10**
Worcester Clo. WA5 —2G **13**
Wordsworth Av. WA4 —4D **14**
Worsborough Av. WA5 —2F **13**
Worsley Av. WA4 —3H **15**
Worsley Rd. WA4 —6D **14**
Worsley St. WA5 —6B **8**
Wren Clo. WA3 —1F **11**
Wrexham Clo. WA5 —3A **8**
Wright's La. WA5 —2D **6**
Wroxham Rd. WA5 —1B **12**
Wychwood Av. WA13 —4A **18**

Yardley Av. WA5 —5B **8**
Yarmouth Rd. WA5 —1C **12**
Yates Clo. WA5 —2G **13**
Yeald Brow. WA13 —4H **17**
Yeovil Clo. WA1 —5C **10**
Yew Tree Clo. WA13 —3C **18**
Yew Tree La. WA4 —4C **22**
York Av. WA3 —1F **5**
York Av. WA5 —6C **6**
York Dri. WA4 —5A **16**
York Rd. WA4 —5A **16**
York St. WA4 —3E **15**